HUIS VAN DE SCHILDPADDEN

D0785059

Eerder verscheen bij Contact:
Eiland 34 (2006)

Annette Pehnt

Huis van de schildpadden

Vertaald door John Breeschoten

2008
Uitgeverij Contact
Amsterdam/Antwerpen

© 2006 Annette Pehnt
© 2008 Nederlandse vertaling John Breeschoten
Oorspronkelijke titel *Haus der Schildkröten*
Omslagontwerp Via Vermeulen/Rick Vermeulen
Afbeelding omslag Corbis
Auteursfoto Peter Peitsch
ISBN 978 90 254 2256 1
D/2008/0108/911
NUR 302
www.uitgeverijcontact.nl

‘Unser zukünftiges Nicht-mehr-da-Sein
sitzt und geht und steht neben uns…’

Wilhelm Genazino
Die Belebung der toten Winkel

Deel een

Iedere dinsdag om even voor half vijf staan professor Sander en mevrouw von Kanter naast de draaideur van Haus Ulmen te wachten, een klein, hulpeloos ontvangstcomité. Ze staren naar het kruis aan de muur en naar de langzaam verwelkende seringentakken die over de randen van de vazen hangen. In de hitte houden die het nog geen week uit.

Niemand in Haus Ulmen krijgt op dinsdag bezoek. Alleen mevrouw von Kanter en de professor konden 's morgens in de zoete zekerheid ontwaken dat 's middags de deuren in de foyer met een smakkend geluid open zouden gaan om hun kinderen binnen te laten, het verse bloed, Regina von Kanter en Ernst Sander, met stof aan hun schoenen en een tramkaartje in hun zak en de geur van de herfst in hun kleren.

Ik moet weer aan het werk, zegt de professor tegen mevrouw von Kanter, die haar ogen altijd dicht houdt tot ze de doordringende stem van haar dochter hoort, excuseert u mij alstublieft, maar net als hij zich omkeert en haastig naar zijn boek terug wil hoort hij Ernst achter zich, wacht papa, ik heb me wat verlaat, het is ongelooflijk druk op straat. Ernst schuift zijn arm onder de elleboog van de professor en samen lopen ze door de hal langs de fontein. Kom binnen, zegt de professor beleefd en zoekt in zijn broekzak naar de sleutel. Gewoon duwen papa, dat weet je toch, zegt Ernst en houdt de deur voor de professor open.

Ik heb alle kranten voor je meegebracht, zegt hij vlug voordat de professor hem kan vragen waarom hij gekomen is, alleen de reisbijlage niet, daar heeft Lili op zitten krabbelen. Wie, vraagt de professor, en dan herinnert hij zich Lili, die ook al op bezoek is geweest en op zijn schoot heeft gezeten, een klein meisje met een zachte buik en sliertige haren. Lili, natuurlijk, zegt hij, straks moet hij notities maken om de volgende keer de juiste vragen te stellen. Hij probeert het op goed geluk, hoe doet ze het met lezen en rekenen, vraagt hij en ziet meteen aan het gezicht van zijn zoon dat het een verkeerde vraag is, Ernst kijkt naar zijn handen en de stapel kranten en zegt niets. Weet je, ik heb die reisbijlage ook helemaal niet nodig, zegt de professor snel om hem uit zijn verlegenheid te helpen, naar China ga ik immers pas volgend jaar.

Ze lachen samen en Ernst noemt een paar reizen op die ze gemaakt hebben toen ze nog een gezin waren. De muggen in Zweden en hoe de professor voor de huilende, bont en blauw gestoken Ernst een klamboe van mama's zijden sjaal gemaakt had. De spannende ridderverhalen die hij onderweg naar Portugal vertelde waardoor de jongen zijn vlieg-angst vergat. In Frankrijk zat hij speciaal voor Ernst met zijn fijne zwarte trekpen te schrijven en te tekenen. Dat deed hij in zijn leren schrijfblok, waarin hij ook zijn reisnotities bijhield. Zo maakte hij ook een sprookjesboekje over de Franse Zonnekoning om Ernst de kastelen binnen te lokken. Het plaatje met koning Lodewijk op een rijk versierde po was bij Ernst favoriet. Ik wil een keer met Lili naar de Loire, zegt Ernst, misschien dat we dat met z'n allen kunnen doen en de professor knikt beleefd hoewel hij niet op reis wil, hij weet te weinig over Lili en zijn werk ligt op hem te wachten.

Doordat hij nooit ophoudt met werken, moeten ze hem 's avonds zijn potlood afpakken en hem overhalen om te gaan eten. Hij protesteert, ik heb niets nodig, ziet u dan niet dat ik midden in een ingewikkelde gedachtegang zit, je kunt niet zomaar de knop omdraaien, dat moet u toch begrijpen. Dat begrijpt iedereen, maar toch moet de professor eten en vooral drinken, anders droogt u uit en dan kunt u ook niet meer denken. Omdat hij dat wel inziet zet de professor altijd een glas water op het bureau dat de halve kamer in beslag neemt en vergeet het dan weer. Dat bureau is hier in Haus Ulmen door Ernst zelf weer in elkaar gezet, je hoeft toch niet te stoppen, heeft die steeds weer gezegd, je kunt hier werken, net als thuis of zelfs beter.

Ook nu wil hij graag werken, hij ziet het boek op het bureau en voelt dat de gedachten nog binnen bereik zijn, direct zullen ze hem ontsnappen en als zijn zoon ten slotte vertrekt zal het veel tijd kosten om ze terug te vinden. Misschien moet je nu maar gaan, stelt hij voor, maar Ernst zucht slechts, toe nou, papa, ik ben er net en je wilt me alweer kwijt. Weer lachen ze wat. We hadden kersentaart vandaag, zegt de professor, zoals elke dinsdag, antwoordt Ernst en wijst op de computer, wat vind je, papa zal ik die voor je installeren? Ach weet je, de volgende keer misschien, zegt de professor en begint uit te leggen waaraan hij werkt, als plotseling iemand luid aanklopt en gebaart dat Ernst naar buiten moet komen.

De professor hoort hoe er gesmoesd en gesmiespeld wordt, hij houdt niet van dat gefluister en wil juist opstaan als Ernst terugkomt en zijn handen pakt, papa, Gabriële heeft me over vanochtend verteld en dat we over je medicatie moeten nadenken. De professor herinnert zich nog wat er vanochtend gebeurde: die moeilijke zin die je op je tong moest laten smelten. Het boek lag opengeslagen op zijn knieën, zojuist nog had hij over die zin nagedacht, maar opeens drong er een gegrom over zijn lippen, dat tot een gekreun en vervolgens tot een schril gejank aanzwol dat hij niet meer kon stoppen. Hij zat verstijfd aan zijn bureau, zijn voeten naast elkaar op de vloer geplant, vastgevroren in zijn schreeuw. Iemand klopte op de muur of de deur, hij hoorde het en wilde zijn lippen op elkaar persen, hij brulde veel te hard, maar zijn lippen zaten klem in de schreeuw en het boek gleed van zijn knieën. Hij greep naar de rand van het bureau om zich vast te houden en veegde daarbij de papieren van het blad, zijn notities waaraan hij tot zijn dood zal werken. Ernst heeft hem zelfs die nieuwe computer gebracht, in een smal, nieuw leren etui, dat nu tegen het nachtkastje staat.

De professor kon die ochtend, terwijl de schreeuw zijn vingers verkrampte, aan zijn zoon denken, je moet de dingen niet aan het toeval overlaten, had Ernst gezegd en de computer uit het etui gehaald, je werk is belangrijk. De professor had de smeekbede op het gezicht van zijn zoon gezien en zich over de piepkleine toetsen gebogen, hoe werkt dat dan. Ik zal het je uitleggen, had Ernst gezegd, het is niet moeilijk, echt niet, en je kunt alles opslaan. Ze hadden elkaar aangekeken tot de professor de weemoed van zijn zoon niet meer kon verdragen. Dank je, had hij gezegd, ik zal het proberen. Toen had hij Ernst een sherry willen aanbieden, maar het woord niet meer geweten, wil je een, had hij gevraagd een, een kop koffie, had Ernst gegist om de worsteling van de professor niet te hoeven aanzien. Nee, had de professor geroepen, een glas wijn of hoe heet dat, hoe noem je dat ook alweer, dat zoete spul, dat. Ik heb echt geen dorst, had Ernst gezegd en hij keek naar het beeldscherm.

Sherry, dacht de professor nu en bleef schreeuwen tot iemand hem van achteren de handen op de schouders legde en hem zachtjes heen en weer schudde, dat helpt om de spieren te ontspannen, al goed, professor, rustig aan maar, u schreeuwt het hele huis bij elkaar, toen kromp hij hijgend ineen, iemand gaf hem de juiste pil, die blauwe zijn goed tegen het schreeuwen en hij haalde diep adem, sherry. Sherry. Alleen maar om het niet te vergeten.

Hoezo medicatie, zegt de professor, waarvoor dan? Je hebt vanochtend een aanval gehad, papa, roept Ernst, een zware aanval, echt, papa, dat moeten we serieus nemen. Je had als kind ook aanvallen, zegt de professor, je moeder wikkelde je in een deken en droeg je naar de badkamer, we draaiden alle warmwaterkranen open tot alles vol met waterdamp was, weet je, en dat hielp dan. Hij aait over de hand van zijn zoon, die ook al vlekken vertoont, dan is het genoeg met het gestreel, hij staat op en giet twee glazen die eigenlijk voor het tandenpoetsen bedoeld zijn vol met whiskey, misschien kun je een keer aan fatsoenlijke glazen voor me komen. De tandenpoetsglazen zijn slecht afgewassen en bezaaid met vingerafdrukken. De professor heft zijn glas, op, op, hij weet niet waarop ze zullen drinken, er schiet hem niets te binnen en hij denkt even na, het glas in zijn geheven hand. Als Ernst die nog ineengedoken in de leunstoel zit, omhoogkijkt, heeft hij eindelijk gevonden wat hij zocht. Op Lili, zegt hij, en neemt een grote slok.

Mevrouw von Kanter houdt haar ogen gesloten, ook als ze het slepende geluid van de draaideur en de hakken van haar dochter op de glanzend gewreven vloer hoort, dan een klinkende zoen op haar voorhoofd, mama, hoe gaat het met je, kijk eens wat ik hier heb.Vroeger kusten ze elkaar nooit. Moeizaam trekt mevrouw von Kanter haar wenkbrauwen op en kijkt recht in de ogen van haar dochter.

Toen ze naar Haus Ulmen gebracht werd, heeft Regina haar een vogelhuisje gegeven dat voor haar raam in elkaar werd gezet. Dan heb je iets om naar te kijken, mama. Je doet er een paar zonnebloemen in en dan zul je eens wat zien! Dat hadden we toch vroeger thuis ook, toen ik klein was, nietwaar. Nee, wilde mevrouw von Kanter zeggen, maar er kwam slechts een gebrabbel en Regina onderbrak haar, ik heb meteen ook voer meegebracht. Aan dat voer heeft mevrouw von Kanter niet veel, want ze kan haar handen nauwelijks bewegen, maar het bakje wordt om de dag tot de rand gevuld en dan zetten ze mevrouw von Kanter voor het raam, dan hoeft u niet lang te wachten, verzekeren ze haar, net alsof mevrouw von Kanter haast heeft.

Daar zit ze dan en staart naar de vogels, maar hoort ze niet omdat de ramen goed geïsoleerd zijn, ze ziet alleen hoe hun snavels open en dicht gaan en naar rechts en links pikken. Afschuwelijk, die gevechten, denkt ze, maar oorlog is beter dan niets en een andere kant op kijken kan ze sowieso niet, ze kan haar verstijfde gezicht nauwelijks bewegen en als haar neus loopt, vallen er druppels op haar blouse, afschuwelijk. Ze slaat haar ogen neer en beweegt haar vingers die wit zijn als gebleekt hout, langzaam over de glanzende stoelleuning. Zelfs haar nagels zijn wit en trillen boven het massieve mahonie.

Hier, zegt Regina en drukt haar een bos bloemen in de gevoelloze vingers, margrieten en hoe heten die blauwe ook alweer, die hadden wij vroeger ook in de tuin. Nee, wil mevrouw von Kanter zeggen, ridderspoor hebben we nooit gehad, dat is slakkenvoer en ze beweegt haar lippen. Regina wacht het brabbelen niet af, ze praat alweer verder, ze blijft onafgebroken aan het woord, rukt de bloemen weer uit haar moeders hand en zwaait ermee rond, waar zijn de vazen, dat moeten we aan Maik vragen.

Natuurlijk weet ze waar de vazen zijn, ze staan net als altijd op het karretje naast de eetzaal, maar ze wil de mooie bos met zomerbloemen aan Maik laten zien, ze wordt altijd pas rustig nadat ze de stuurse jongen haar bloemen onder z'n neus gedrukt heeft, alsof ze hem iets moet bewijzen. Margrieten en ridderspoor glanzen in zuivere kleuren. Bij het heldere wit en diepe blauw ziet Regina's huid er vaal uit, gelig, bijna verbleekt, denkt mevrouw von Kanter, je zou haast denken dat ze oud wordt, ze begint op mij te lijken en ze plooit haar lippen langzaam tot een glimlach.

Met diezelfde scheve glimlach nog op haar gezicht, wordt mevrouw von Kanter door haar dochter naar haar kamer geduwd. Regina heeft de margrieten nog onder haar arm geklemd, haar hoofd draait als dat van een valk naar alle kanten. Ze heeft haar best gedaan om iedereen te leren kennen en nu moet ze groeten naar links en rechts, als bij een staatsbezoek, hallo mevrouw Sörens, wat ruikt het hier heerlijk, waarmee hebt u nu weer iedereen versteld doen staan? Och, mompelt mevrouw Sörens verlegen en gevleid, niets bijzonders, met roomboterkruimelgebak met kersen weet u, maar Regina duwt de rolstoel alweer verder, Maik, we hebben een vaas nodig, de zomer is in het land. Maik haalt zijn schouders op en sloft naar de eetzaal. Zelfs de mensen uit de bovenste etages kent ze. We moeten inburgeren, heeft ze tegen mevrouw von Kanter gezegd alsof ze hier zelf zou moeten blijven, alsof ze geen honderdachtenzestig uur per week in de Beethovenstraße woont, nee resideert, met alles voor zichzelf alleen, geen rustverstoorders meer en voor haar moeder het vogelhuisje en een fles Hohes C.

In de kamer pakt ze die fles, schenkt de jus d'orange in haar moeders inneembeker en schroeft het deksel dicht, ze houdt hem slechts met duim en wijsvinger vast alsof ze hem vies vindt. Hier mama, dat zal je goeddoen. Vers geperst zou nog beter zijn, je hebt thuis toch een pers, denkt mevrouw von Kanter en tuit de lippen, een vochtige ademstoot, die Regina in elkaar doet krimpen. Een paar seconden lang hangt een angstige stilte om hen heen. Dan schudt Regina haar hoofd, verwijtend bijna, en begint weer te ratelen, Gabriële heeft je mooi gemaakt vandaag, dat zag ik meteen, misschien kunnen we wat van je kleren aan haar geven, of niet, mama? Je hebt hier toch niet zoveel nodig, ik bedoel, ik wil echt niets wegdoen zonder dat je ervan weet, maar we moeten het toch ook eens van de praktische kant bekijken.

Ze raakt wat in de war en bloost zelfs lichtjes bij haar slapen. Ze houdt weer op met praten. Mevrouw von Kanter laat haar blik op het bleke gezicht rusten, roodachtige vlekken van verlegenheid, haar ogen heeft ze zwaarder aangezet dan anders en de huid onder haar ooggranden trilt. Ze is moe, denkt mevrouw von Kanter en opeens wil ze door het piekerige haar van haar dochter strijken en een hand in die harde nek leggen. Ze sluit haar ogen even en steekt haar vingertoppen omhoog. Je hebt dorst, ik weet het, zegt Regina en voor mevrouw von Kanter haar ogen weer kan openen voelt ze hoe de inneembeker tussen haar lippen wordt gedrukt.

Om zes uur klopt Maik aan. Hij brengt het brood rond voor het avondeten. De professor schudt Ernst de hand, zo stevig als hij kan, opdat Ernst de kracht in zijn vingers voelt en zonder zorgen kan vertrekken, naar een huis dat de professor nog nooit gezien heeft.

Regina staat bij de kapstok als Maik haar het dienblad aanreikt, wilt u haar nog voeren, maar ze heeft al een wollen jasje over haar schouders gelegd en kijkt hem geschrokken aan, ik moet nu echt gaan, ze kan het toch ook zelf, of niet soms. Nog een stevige afscheidskus, die het hoofd van mevrouw von Kanter naar achteren drukt, en weg is ze. Mevrouw von Kanter staart naar de magere yoghurt en de kleine stukjes brood met kaas. De kamer vult zich met stilte. Dan heft ze haar hand en begint langzaam het cellofaan rond het brood los te maken.

Maar de meesten komen in het weekeinde, boven de parkeerplaats van Haus Ulmen hangt dan een wolk van uitlaatgassen en door de draaideur stromen lange rijen dochters en zonen, schoondochters en kleinkinderen, het haar keurig verzorgd en met glimmend gepoetste schoenen. De kleinkinderen hebben hun oordopjes en mobieltjes in de auto gelaten, de zoons en dochters schrapen hun keel en duiken onmerkbaar in elkaar als ze de foyer binnengaan. De bossen bloemen verspreiden een doordringende geur. In de zithoek vlak bij de ingang zitten de onveranderlijken, die op niemand wachten, met strakke gezichten te staren. De bezoekers werpen nog snel een blik op de klok, ze willen graag weten wanneer ze weer mogen vertrekken, twee uur zal het wel duren, dat hoort nu eenmaal zo. Als op zondag de laatste auto de parkeerplaats verlaat, gaan in Haus Ulmen de lichten aan en wenden de onveranderlijken zich langzaam van de draaideur af.

Pas op maandag komt het weekeinde tot volle bloei, het haar van mijn kleindochter zat zo leuk, mijn kleinzoontje heeft nu vioolles, hij heeft precies de goede vingers voor een musicus, zo lang en smal, mijn schoonzoon heeft een nieuwe baan aangeboden gekregen, maar hij moet er eerst nog eens goed over nadenken, per slot van rekening hebben de kinderen het op school naar hun zin, dat zet je niet zomaar op het spel, mijn dochter wil een huis laten bouwen, maar ze heeft geen idee waaraan ze begint, van die bouwerij kun je het op je zenuwen krijgen, daardoor zijn al heel wat huwelijken gestrand.

Maar op dinsdag verdorren de verhalen al, in Haus Ulmen blijven ze niet veel langer dan één dag goed en er komt geen nieuwe voorraad. De jonge mensen moeten hun eigen leven leiden, je kunt geen eisen stellen. Alleen de professor en mevrouw von Kanter zijn met bezoek gezegend, die jonge vrouw ziet er niet goed uit, mompelen de onveranderlijken die in de entreehal weer voor de ramen zitten, pluisjes van hun mouwen plukken en naar de parkeerplaats en de dochter van mevrouw von Kanter staren, die naast haar rode Golf een sigaret opsteekt.

Regina ziet de bleke gezichten achter de ruit, haalt diep adem, een mengsel van nicotine en avondlucht dat haar meteen naar het hoofd stijgt alsof ze bedwelmd wordt.
Ze hoort de merels, het remmen van de stadsbussen, een grasmaaier en een ogenblik lang wil ze de onveranderlijken naar buiten wenken, dat moeten jullie horen, wil ze roepen, het ruikt naar een gesproeid gazon, naar seringen, naar het stof van de parkeerplaats, heerlijk wil ze roepen en ze steekt ook werkelijk haar hand op en knikt naar het raam, juist als de zoon van de professor door de draaideur schuifelt.

Zijn hoofd is nog tussen zijn opgetrokken schouders weggedoken, maar als hij door de avondlucht begroet wordt blijft hij staan, buigt zijn verkrampte vingers, strekt zijn rug en ziet de zwaaiende dochter. Langzaam loopt hij naar haar toe. Sorry, roept Regina, ik bedoelde u helemaal niet, ik bedoel, ik wilde eigenlijk alleen maar afscheid nemen, en Ernst begint te lachen, opgelucht dat het weer voorbij is, hij is buiten, zijn slechte geweten klopt pas later op de avond bij hem aan, nu is hij vrij. Een prachtige zomeravond, zegt hij. Dat heeft hij nog nooit gezegd, hij verafschuwt gemeenplaatsen, maar het is werkelijk heerlijk zomers, Haus Ulmen ligt stil in de schemering en pas over een week, een kleine eeuwigheid, zal hij weer hier zijn. U komt ook altijd dinsdags, zegt Regina, het is geen vraag, ze weten het allebei, want de bezoekers kijken in de gangen naar elkaar uit en knikken elkaar bijna onmerkbaar toe. Benedenverdieping, zegt de zoon en ze knikken en zuchten beiden.

Regina biedt Ernst een sigaret aan en hij zegt geen nee, hoewel hij niet meer rookt. Hij voelt zich een waaghals en een beetje onhandig wanneer hij de eerste trek sinds vier jaar neemt, de rook slaat op zijn keel en raast meteen ook door zijn bloed en hij duizelt. Met één hand steunt hij op de motorkap van de rode Golf terwijl ze over Haus Ulmen praten, over de kersentaart van mevrouw Sörens en de renovatie van de eetzaal. Met de punt van hun schoen drukken ze hun sigaret in het grind uit. Kan ik u een lift aanbieden, vraagt Regina. Dank u, ik loop liever een stukje, en ze knikken elkaar toe.

Ernst loopt door de avond en zwaait met zijn armen. Een zachte wind waait onder zijn hemd door en streelt zijn haar, dat hij kort afscheert om de kale plekken niet te hoeven verbergen. Hij veert zachtjes door zijn knieën en voelt zich lenig en gespierd. Nog voelt hij de stevige handdruk van zijn vader.

Regina zet de autoradio heel hard en draait het raampje naar beneden. Ze rijdt met hoge snelheid door de stille straten en trommelt met haar vingers op het stuur.

Voeren, dat moest er nog bij komen, denkt ze, daar hebben ze toch hun mensen voor en bij het rode stoplicht denkt ze aan de twintig jurken van haar moeder in de achterste kast, het blauwe admiraalspak met de gouden tressen, de Schotse, de sprookjesjurk met de rij zilveren knopen, allemaal opgeborgen in plastic. Ze sluit haar ogen en als ze weer omhoogkijkt staat het licht op groen.

Ernst en Regina verdwijnen in de groene schemering, het

avondeten wordt afgeruimd, de rolluiken ratelen naar beneden en het fluiten van de merels wordt overstemd door de fanfareklanken van het televisiejournaal.

Op dinsdagavond laat Ernst de rolluiken naar boven, hij heeft lucht nodig en het gevoel dat hij bij nood het raam uit kan. De muggen verzamelen zich op het witte behang achter zijn bureaulamp. Hij slaat een paar keer toe, maar de meeste raakt hij niet en het deert hem nauwelijks, ze steken hem niet omdat hij net als zijn vader te dun bloed heeft.

Dat heeft de professor hem vaak verteld, wanneer ze vroeger langs het meer wandelden of koffie dronken op het terras aan de bosrand. Dat is nog niet eens zo lang geleden, één, twee jaar misschien, ze liepen door wolken muggen, de professor met kleine, schokkende pasjes en Ernst opzettelijk langzaam alsof hij er behagen in schepte om niet van zijn plaats te komen. Naderhand waren ze allebei doodmoe, maar niet bont en blauw gestoken. De professor die zich op andere gebieden met de diepzinnigste gedachten bezighield, maar niets over zijn eigen lijf of welk lichaam dan ook wist, zei dan trots dat hun bloed eenvoudig te dun was, je hebt dat van mij geërfd, dat lusten ze niet. Ernst dacht aan de Zweedse muggen, maar sprak hem niet tegen, dat zou immers zinloos zijn. De professor was Zweden vergeten. Hij was er vast van overtuigd dat sommige mensen dik en andere dun bloed hebben en dat die met het dunne bloed lang leven, net zoals hij geloofde dat je op een kerkhof de naam van de doden hardop van hun grafsteen moest lezen om hun vrede te schenken en dat de straling van mobieltjes op den duur tot hersenverweking leidt. In hun oude huis moest hij, als de telefoon ging, met zijn schokkende pasjes door een reeks van kamers hollen, tot hij hijgend in de vestibule kwam, waar naast de jassen een overjarig toestel rinkelde. Om zijn hijgen wat te camoufleren, probeerde hij dan zijn stem te laten zakken en sprak met diepe tonen in de hoorn. Ik doe je een draagbare telefoon cadeau, had Ernst hem aangeboden, dan hoef je niet meer te rennen, straks breek je je nek en dat wil ik niet. Maar de professor had hem slechts beledigd aangekeken, te beleefd om het geschenk af te wijzen, en zijn schouders opgehaald.

Ernst zit aan zijn bureau tussen de stapels schriften die hij eigenlijk zou moeten corrigeren en kijkt naar de dansende muggen die als zwevende lettertekens voortdurend voor het wit van het behang heen en weer schuiven. Hij proeft de scherpe nasmaak van de sigaret die diep in zijn slijmvliezen is binnengedrongen, hij heeft al met tandpasta gegorgeld en op een hoesttablet gesabbeld, maar hij raakt de smaak niet kwijt. Goed dat Lili er vandaag niet is, die ruikt alles, ze kruipt 's morgens vroeg, en vaak ook 's nachts bij hem in bed, ruikt onder zijn oksels en aan zijn lippen en roept, getteget, je stinkt naar slaap, papa. Dan kruipt hij in zijn stank in elkaar, hij wil niet dat ze hem afstotelijk vindt, ga toch naar je bed, mompelt hij met halfgesloten lippen, maar ze zegt dat het daar niet zo gezellig is als in haar echte bed, en ik heb ook niet alle dieren.

Dat met haar echte bed heeft Ernst maar één keer en heel kort gezien. Zijn vrouw had zware griep en moest hem wel toestaan om binnen te komen, gewoonlijk was de overdracht in het trappenhuis. Toen had hij ontdekt dat Lili alle knuffeldieren en poppen tot een muur had opgestapeld, die haar 's nachts omgaf, slechts in het midden had ze een kuiltje voor zichzelf opengelaten. Moet dat, vroeg hij een keer aan zijn vrouw, kan ze dan geen één of twee knuffels hebben net als andere kinderen. Zijn vrouw haalde haar schouders op, probeer het maar, dan slaapt ze niet en ze draaide zich meteen weer om en verdween in de woning. Meer dan twee zinnen kon je in het trappenhuis niet wisselen en het licht ging er ook altijd uit.

Maar vandaag is het dinsdag, hij is voor een week verlost, hoeft alleen maar naar zijn werk en over de medicatie moet hij nog nadenken, het is me wat met die aanvallen, en voor echte whiskeyglazen moet hij zorgen, dat zal de professor mooi vinden, gesteld dat hij het de volgende week nog weet en zelfs als hij het niet meer weet, ook zonder geheugen kun je blij zijn, en voor Lili een paar knuffels kopen zodat ze kan slapen. Ernst staat op en loopt door het huis. Onder de lampen cirkelen de muggen.

Als Regina thuiskomt neemt ze een glas tweedrank en ze gaat naar boven naar de garderobe. Ze opent de deuren van de achterste kast en staart naar de kleren van haar moeder. Daar hangen ze, de mosgroene met de goudkleurige knopen, de antracietkleurige nauwsluitende, die zelfs Regina zou staan, verder naar achteren de oranje met het ingewikkelde patroon van gele golven, ze had zich verplicht gevoeld om haar moeder te waarschuwen, die kun je echt niet aantrekken, mama, maar haar moeder voelde zich er geweldig in, gewaagd met die wilde krullen over haar slappe borsten, één feestavond lang, toen was hij weer in de kast beland, je mag zoiets niet forceren. Dat fluisterde Heinzi van de boetiek haar in het oor, die om de veertien dagen bij haar op bezoek kwam, ze dronken sherry en hij spreidde de nieuwe modellen op de sofa's uit, ze babbelden wat en Heinzi die mollig was en altijd in het zwart gekleed, palmde haar moeder helemaal in, die mooie benen, dat figuur, wat een verschijning. Regina bleef op de Heinzi-dagen uit de Beethovenstraße weg, maar soms liep ze hem toch tegen het lijf. Dan zat hij naast haar moeder, streek met zijn hand over z'n kale schedel die boven een geschoren haarkrans uitstak en lachte guitig. Kom bij ons zitten, riep haar moeder, er is nog thee, maar Regina wierp Heinzi vanuit de vestibule een minachtende blik toe, die haar moeder ontging. Heinzi ontweek die blik nooit, hij keek ernstig over haar moeder heen naar haar vermoeide gezicht en knikte haar nauwelijks merkbaar toe alsof ze medeplichtigen waren. Als moeder haar later met Heinzi plaagde, omdat ze uitgelaten was en zijn bezoeken haar opfleurden en een nieuw en kostbaar pakje in de achterste kast prijkte, nou, dat zou toch wat voor jou zijn, ik heb wel gezien hoe je naar hem keek. Smaak heeft hij in ieder geval. Regina probeerde zich in te houden, maar soms ook siste ze, hij is toch een nicht, mama, of, die zit alleen maar achter je geld aan.

Regina haalt de antracietkleurige tevoorschijn, stroopt het plastic er af en gaat voor de grote spiegel van haar moeder staan. Met één hand plukt ze aan haar haar dat vermoeid over haar kraag krult, met de ander houdt ze de jurk voor haar lichaam. Boven het donkergrijs staat een gezicht als van een oude maan. Onmiddellijk wendt Regina zich af, rolt de jurk op tot een dunne worst en legt hem op de commode van haar moeder. Ze zal hem inpakken bij de oude kleren en alle andere kleren ook, ze zal de kast leegmaken en iedere lade, ze zal alles in zakken doen en voor het huis neerzetten tot iemand alles ophaalt.

De morgen sijpelt door de kieren van de rolluiken voordat Gabriële komt en ze met een ruk naar boven trekt. Mevrouw von Kanter duwt haar kin voorzichtig naar links en rechts, en schudt langzaam het hoofd.

Als een schot, zegt de professor in de kamer ernaast verrast, alsof hij het geluid voor de eerste keer hoort. Zouden we niet eens goedemorgen zeggen, roept Gabriële en is al in de naastgelegen kamer, waar mevrouw Hint, die al een hele tijd wakker is, haar bustehouder omdoet om geen vreemde vingers op haar huid te voelen, maar ze is te traag en Gabriële grijpt haar tussen haar handen, laat mij maar even mevrouw Hintje, u draait uw arm nog uit de kom. Maik is er nog niet, zegt mevrouw Hint, het is geen vraag, ze weet wanneer zijn dienst begint.

In de kamer daarnaast ligt meneer Lukan stil en kijkt naar de lamp, waarvan de lichtkring boven hem smaller wordt en dan weer breder.

In de thermoskannen op het metalen wagentje staat de eerste koffie. Mevrouw Sörens schept jam in porseleinen schalen en prevelt een gebed.

Als je niet uitkijkt loop je nog een zonnesteek op, zegt Gabriële tegen mevrouw Hint, die eigenlijk op Maik gehoopt heeft, hij leest haar 's middags vaak de krant voor, een paar minuutjes maar, die de wereld voor haar openleggen, en dat zegt ze ook tegen hem, Maik, zegt ze, de wereld staat voor ons open. Wanneer hij in z'n eentje bij haar is, mag ze zo met hem praten en hij zegt, mevrouw Hint, de wereld ligt aan uw voeten en hij glimlacht alleen met zijn mondhoeken, want ze weten immers allebei wel wanneer er een eind komt aan de pret. De zon staat boven het park, recht voor de kamer van mevrouw Hint staat een bank, pas geverfd, daar zou ze kunnen zitten als iemand met haar meeging en haar gezicht in de zon zou houden.

Misschien heeft Maik wel tijd, durft mevrouw Hint te vragen, ze heeft niets te verliezen. Maik, lacht Gabriële, iemand moet hem eens een schop onder z'n achterste geven, als u het mij vraagt heeft hij te veel tijd en wat er hier niet allemaal te doen is, dat kun je je gewoon niet voorstellen. Wilt u nog even naar de wc? Mevrouw Hint schudt beschaamd haar hoofd, hoewel haar blaas vol met sinaasappelsap en koffie van het middageten zit, toen ze naar haar kamer terugging merkte ze dat hij overliep en weldra zal er nog meer bij komen, ze zal in de cafetaria kersentaart gaan eten en weer koffiedrinken. Kom, mevrouw Hint, dringt Gabriële aan, een keer voor alle zekerheid, anders moet ik straks weer rennen of gebeurt er een ongelukje. Mevrouw Hint wendt zich af en Gabriële haalt haar schouders op, ze moet het zelf maar weten. Als ze met Gabriële meegaat staat Gabriële tegen de wasbak geleund en slaat haar gade terwijl ze met één hand haar panty afstroopt en zich met de andere aan het handvat vasthoudt, ze gaat pas de deur uit als mevrouw Hint zich met een klets op de wc-bril laat vallen en is meteen weer binnen zodra ze het ritselen van het toiletpapier hoort, laat mij dat maar doen, mevrouw Hint, dan komt er geen streep in het broekje, en ze lacht. Gabriële mag mevrouw Hint wel en met de mensen die ze mag maakt ze grapjes of ze vertelt hun over haar echtgenoot, die handwerksman is en de carnavalsoptocht organiseert. Mevrouw Hint was, voor ze hier kwam en nog in de binnenstad woonde, bang voor het carnaval dat vlak voor haar huis woedde, haveloze gestalten met woeste rode pruiken struikelden over de tramrails en stonden te kotsen tegen de muren van haar huis.

Zou je het aan Maik kunnen vragen, zegt ze. Gabriële geeft haar een knipoog. Onze haan in het kippenhok, die heeft het goed, maar maakt u zich geen illusies, mevrouw Hint, vandaag staat hier alles op z'n kop. Ze slaat de deur achter zich dicht. Mevrouw Hint heeft haar al vaak gevraagd om wat rustiger de kamer uit te gaan, maar dat leidde er alleen maar toe dat ze de deur weer opengooide, wat is er, schreeuwde en alles opnieuw aan het trillen bracht. In de kamer ernaast brult de professor. Een gekkenhuis, mompelt mevrouw Hint en zoekt tastend haar weg van de sofa naar de zithoek, daar is nog maar één fauteuil van over, voor de rest was geen plaats meer, en staart naar de hete nazomer buiten tot alles voor haar ogen vervaagt.

Aan de andere kant van de muur zit meneer Lukan. Gabriële heeft zijn rolstoel naar het raam geduwd, vandaag is het zo zonnig buiten, en heeft de zijkleppen van de hoofdsteun vastgezet. Meneer Lukan moet naar de gesnoeide struiken kijken met een blik die door de met leer beklede oogkleppen wordt bepaald. De witte zon brandt in zijn ogen en aan de rand van zijn blikveld gaan de vogels tekeer in het gevecht om de zaadjes van mevrouw von Kanter. Langzaam laat meneer Lukan zijn oogleden over zijn pijnlijke ogen zakken. Er blijft nog een spleetje over en het witte licht gloeit in zijn hoofd.

De middag hangt in de kamers en over het hete park. In de cafetaria wordt de kersentaart aangesneden.

Om de cafetaria er als een café te laten uitzien, zet mevrouw Sörens op iedere tafel een verse margriet, in de winter sparrengroen, en tegen de vaas een gedrukte menukaart. Op de voorkant staat een kop met dampende koffie afgebeeld, binnenin staat: KERSENTAART (DINSDAG EN WOENSDAG), KWARKTAART (DONDERDAG EN VRIJDAG). In het weekend is er schwarzwalder, maandags is er niets. We hebben ook wel eens behoefte aan een rustdag, legt mevrouw Sörens aan de bewoners uit, die zich 's maandags om half drie niet laten weerhouden en naar de cafetaria stromen om zich daar met vastbesloten gezichten rond de tafels te scharen. Kst, kst, roept Gabriële lachend, vandaag is er niets, jullie moet je maar ergens anders vermaken.

Sommigen sloffen naar de zithoek of naar de fontein op de overdekte binnenplaats. Anderen blijven gewoon zitten en staren naar de margrieten. De professor heeft zijn aantekeningen meegebracht en werkt met een pas geslepen potlood. Mijn dochter was er zondag, zegt iemand tegen hem. Meteen komen anderen ertussen, mijn zoon wilde ook wel, met de kinderen, maar de jongste had een balletuitvoering, dat gaat natuurlijk voor en de rit hierheen is ook een heel eind, dus was mijn schoondochter er eergisteren, hier hebben we gezeten, aan deze tafel, ze zag er heel bleek uit, ze zit midden in haar examens, je moet eten heb ik gezegd, weet je mama, ze noemt me mama hoewel ik alleen maar haar schoonmoeder ben, maar we kunnen nu eenmaal heel goed met elkaar opschieten, weet je mama, heeft ze gezegd, ze noemt me mama.

Maar vandaag is het dinsdag, de taarten zijn goed gelukt, de geur van de boter is sterker dan de zoetige lucht die overal in de gangen hangt en zich ook niet door het personeel van de schoonmaakdienst en de bossen bloemen bij de ingang laat verdrijven. Boterkoek, schiet de bewoners te binnen, kaneelwafels, notentaart, pruimentaart, *apple crumble*, denkt mevrouw von Kanter, met vanillesaus, in een vuurvaste vorm, gedroogde appeltjes, roept mevrouw Hint en krijgt kritiek van alle kanten, maar mevrouw Hint het is toch midden in de zomer. Bij sneeuw en bij vorst krijg je winterkost. Mevrouw Hint verdedigt zich, bij mij dus, ik heb immers alleen, er was alles, wat ik wilde, ik hoefde met niemand rekening te houden, ik was immers volkomen vrij. Het is niet goed, maar het is zo zoet, zegt Gabriële met een knipoog en snijdt kleine vierkante stukken af zodat er voor ieder genoeg is. Geef ze rustig een flinke hap, jij gierigaard, zegt mevrouw Sörens, ik heb er nog een.

Maik steekt een lepel met kersentaart in de mond van meneer Lukan. Die ademt met wijd open neusvleugels de botergeur in. Kauwen, meneer Lukan, zegt Maik vriendelijk, anders komt het niet goed.

De professor is voorgedrongen en een gemompel gaat door de rij. Hij doet dat niet expres, fluistert iemand hardop, hij is niet helemaal goed snik meer, maar als de professor zich omdraait kijkt niemand hem aan. Kom, professor, uw taart, zegt Gabriële en hij bedankt haar beleefd.

De week verbrokkelt, kersentaart, kwarktaart, schwarzwalder, hoe vond u het toetje vandaag. Vrijdag is er de dansclub, ze zitten in de gemeenschappelijke ruimte, mevrouw Halter komt in een nieuw, strak zittend gymbroekje, waarvan het glinsterende blauw een gefluister door de ruimte doet gaan en zet de volumeknop van de cassetterecorder op volle sterkte. Dames en heren, roept ze, hoewel er geen heer aanwezig is, de vogeltjesdans, u weet nog wel, en op de maat van de dreunende klanken van de gitaren gaan twintig oude handen omhoog en zwaaien door de lucht. En de beentjes, roept mevrouw Halter. Een aarzelend stampen, sommigen tillen hun knieën op alsof ze willen marcheren, ja roept mevrouw Halter, stelt u zich eens voor, u stijgt op in de lucht, en ze pakt hier een elleboog en daar een schouder, armen gaan omhoog als gebroken vleugels. Buiten in de zithoek knikken de onveranderlijken in de maat. Na tien minuten wisselt mevrouw Halter de cassette, nu iets langzaams om te ontspannen, ze wiegen met de heupen. Sommigen draaien alleen maar met hun hoofd. Ga zo ver als u kunt, neuriet mevrouw Halter en dan klemt ze de recorder onder haar arm, zwaait ten afscheid naar alle kanten en dan is het alweer weekend.

Daar is wat aan de hand, zegt iemand tegen mevrouw Hint, die met haar rollator bij de onveranderlijken staat om even bij te komen, als mevrouw Halter blauw-glanzend langs hen heen naar de draaideur huppelt. Wat bedoelt u, vraagt mevrouw Hint, die de dansclub links laat liggen, het is niet om aan te zien, dat gespartel, misschien als Maik erbij was, maar die heeft genoeg te doen, die danst niet met oude dames, die heeft vast een knappe vriendin, een lenig jong ding, met wie hij hele nachten lang aan één stuk door danst. Daar is toch wat op komst, een baby, fluisteren ze en maken veelzeggende golvende handgebaren. Mevrouw Hint haalt haar schouders op. Allen nemen zich voor om de volgende keer nog wat beter te kijken. Wat groeit krijgt de volle aandacht in Haus Ulmen. Baby's gaan van arm tot arm, kinderen worden vertroeteld, die geur van vers zweet, die gladde, zachte huid, alles zo dik en stevig, die vingers met hun krachtige greep, die voeten zonder eelt, die kuiltjes in de knieën. Mevrouw Hint doet daar niet aan mee, natuurlijk niet, kinderen hebben haar nooit geïnteresseerd, die praatjes laten me koud, roept ze snel, voordat die kwaadsprekers denken dat ze ook van de partij zou zijn.

Terwijl iedereen thuis bij de kinderen zat en maillots stopte, genoot mevrouw Hint van het leven, ze ging naar de film zodra ze er zin in had, en vakanties die ze zich gunde, niet naar de Oostzee om zandkastelen te bouwen, geen pony rijden op een boerderij, mevrouw Hint bezocht exposities in Londen, in Kopenhagen, daar heeft ze nog ansichtkaarten van op haar kamer, die heeft ze niet uitgezocht, soms als daar gelegenheid voor is, laat ze ze aan Maik zien. Maik houdt van de mistige schilderijen van Turner, die vindt hij romantisch en hij heeft zich al een keer over *De schreeuw* gebogen en gegrijnsd, net onze goede professor, en mevrouw Hint grijnsde met hem mee.

Ik was immers vrij, zegt ze tegen Maik, begrijp je, ik kon doen en laten wat ik wilde. En toen hebt u een lekker feestje gebouwd, zegt Maik vriendelijk. Mevrouw Hint weet niet precies wat Maik bedoelt, maar ze knikt samenzweerderig, opdat Maik nog even blijft en zegt, zal ik je die stadsplattegronden eens laten zien. De volgende keer, mevrouw Hint, zegt Maik, de professor zit te wachten, u weet wel, de schreeuw en hij spert zijn ogen open en vertrekt zijn mond tot een gapend ovaal. Mevrouw Hint schrikt een beetje, maar Maik geeft haar een knipoogje voordat hij weggaat.

Hij loopt snel en wiegt met z'n heupen, niemand anders in Haus Ulmen loopt zo, op de gangen zie je alleen maar traagheid en voortsloffen in kleine, trieste stapjes. Mevrouw Hint kijkt hem na.

Dan pakt ze de stadsplattegronden uit de la, de metrotickets heeft ze ook bewaard en de treinkaartjes, ze had met het vliegtuig kunnen gaan, maar dat risico durfde mevrouw Hint niet te nemen. Aan de hand van die gegevens kan mevrouw Hint precies zeggen wanneer ze waarheen gereisd is, de hotels heeft ze met kruisjes op de plattegronden aangegeven en de stadsrondritten en de cafés waar ze onvergetelijke indrukken heeft opgedaan en zoveel gebak heeft gegeten als ze maar kon, opdat ze 's avonds geen honger meer zou hebben, want in het donker wilde ze niet alleen het hotel uit. Eten was ook niet zo belangrijk, maar ze had graag willen dansen, in een nachtclub misschien, wat avontuurlijker had ze best mogen wezen.

Mevrouw Hint staart naar de plattegrond van Londen en vermoedt dat het vergeelde stratennet er intussen heel anders uitziet, dat er veel zal zijn wat er nu niet meer op staat. Snel pakt ze de hele stapel en hijst zich aan de rand van de tafel omhoog. Ze zal naar meneer Lukan toe gaan en hem het een en ander over de wijde wereld vertellen.
Tenslotte krijgt hij nooit bezoek.

De nagels van meneer Lukan zien er aantrekkelijk uit, denkt mevrouw Hint, die op het journaal wacht om te weten wat er zoal in de wereld gebeurt, en daarna volgt er een uitzending over kunst, Michelangelo, over hem heeft ze al eerder iets gezien, maar toen niet in kleur, oogverblindend ziet het er nu uit, die van vroeger vond ze mooier, beschaafder eigenlijk. De hele middag is ze met meneer Lukan bezig geweest, ze heeft alle stadsplattegronden voor zijn neus gehouden en uitgelegd en is ook met de verzameling ansichtkaarten begonnen. Zo nu en dan heeft hij zijn ogen gesloten, misschien waren het te veel indrukken, ze wilde hem niet overbelasten, dus heeft ze een pauze ingelast en uit de cafetaria een stuk kersentaart gehaald, waarop mevrouw Sörens zoals elke week weer zo trots was alsof ze hem zojuist had bedacht. Toen mevrouw Hint terugkwam, hoorde ze al op de gang het snurken. De kin van meneer Lukan was omlaag gezakt, zijn mond hing open en tussen zijn lippen had zich een speekseldraad gespannen, geen fraai gezicht, dacht mevrouw Hint en wendde decent haar blik af. Toen vielen zijn handen haar op, die netjes gevouwen in zijn schoot lagen, blanke handen met crèmekleurige vingers en mooie ronde nagels.

Ze schoof voorzichtig dichterbij en raakte zijn rechterhand aan. Het snurken werd luider en verflauwde weer. Toen pakte mevrouw Hint, ze wist totaal niet wat haar bezielde, zijn warme en droge hand, legde hem op haar knie en streelde de knokkels en de zachte vingers.

Zo bleef ze zitten, tot Gabriële luidruchtig de kamer binnenkwam, de mond van meneer Lukan dichtklapte, en de tocht door de plattegronden ritselde. Wat is hier aan de hand, riep Gabriële, een rendez-voustje, wat schattig. Mevrouw Hintje, uw brood staat al hiernaast.

Mevrouw Hint heeft het brood vandaag niet aangeraakt,

maar ze schaamt zich niet, ze heeft zich alleen maar om haar medemens bekommerd en daarmee Gabriële nog werk uit handen genomen ook. Tenslotte kan ik doen wat ik wil, denkt mevrouw Hint, ik ben immers oud genoeg. Wanneer het zoete gefluit van de merel begint, zet ze snel de tv aan.

Op vrijdag gaat Ernst Lili halen om iets met haar te ondernemen. Niet naar de dierentuin, dat wil hij niet, hij wil dingen doen die elke vader met zijn dochter op vrijdag zou kunnen doen en wie gaat er nu elke vrijdag naar de dierentuin, dat zijn de vaders die gescheiden zijn of niet meer bij hun gezin wonen, de vaders die zo hun best doen, de onveranderlijken, die op een bank zitten, maar niet in een krant zijn verdiept, want ze willen aandachtig naar hun kinderen kijken die ze zo zelden zien, of die bij automatieken staan te prutsen, waarin munten vastzitten, of die hun zakken binnenstebuiten keren om naar geld voor het ponyrijden te zoeken.

Ernst is op vrijdagochtend al doodmoe van de afgelopen week, het verlangen naar Lili en de hoop om haar een onvergetelijk weekend te bezorgen. Hij haalt haar van de kleuterschool af, staat naast haar kastje met de oeroude foto en glimlacht naar de kleine, stevige Lili op die foto, tot de grote Lili uit haar groep tevoorschijn komt, bij lange na niet zo enthousiast als hij gehoopt had, veel magerder dan ze nog maar twee jaar geleden was, ze kijkt langs hem heen en giechelt met haar vriendinnetje. Ernst bedwingt zijn brandend verlangen, hij wenkt haar wel, maar als ze een dikke kus in de nek van haar vriendin drukt, een kus die hij graag gehad

had, wendt hij zich af en kijkt naar de bloemetjesmobile aan het plafond tot ze zich zonder te groeten tegen zijn knieën laat vallen. Maar ik wil vandaag met Emma spelen, kreunt ze en Emma huppelt heen en weer en roept ja ja, we willen spelen. Vandaag niet, zegt Ernst, dat weet je toch. Dan zegt Lili met een grafstem tegen Emma, vandaag moet ik naar mijn papa, en Ernst kijkt weer omhoog naar de verbleekte mobile, in Haus Ulmen hebben ze ook van die dingen, die zijn door de knutselclub gelijmd, en dan sluit hij even zijn ogen die hij voelt branden in zijn hoofd.

Vrijdagavond na het werk, terwijl Ernst het bed van Lili verschoont, gaat Regina naar de kapper. Ze laat alleen haar haren bijpunten, dat is niet zo belangrijk, het gaat om het wassen dat in Michaëls salon door de chef persoonlijk wordt gedaan. De chef is niet jong en niet oud, misschien eerder jong, Regina weet het niet meer, ze kan alleen nog maar piepjonge en stokoude mensen uit elkaar houden, het schatten van de leeftijden daartussen lukt haar niet. Hij draagt een spijkerbroek met wijde pijpen en heeft een kortgeschoren kapsel, dat haar eerst aan Heinzi deed denken, maar de chef palmt haar niet in, zij betaalt gewoon en hij masseert met krachtige vingers haar schedel, dan gaat hij met kleine, rubberen borstels door haar haar, pakt de vochtige strengen en borstelt ze voorzichtig langs haar hoofdhuid. Regina kreunt, maar zo zachtjes dat de chef het door het zoemen van de föhnen en de droogkappen niet kan horen.

Spoeling, vraagt de chef, ofschoon hij wel weet dat Regina altijd een spoeling wil om zijn handen nog wat langer op haar hoofd te voelen. Vandaag zouden we het met een kleurtje kunnen proberen, stelt hij voor, terwijl ze voor de spiegel zit en probeert om niet naar zichzelf te kijken. Hij wikkelt de ene streng na de andere in aluminiumfolie, Regina sluit haar ogen, voelt het geritsel tegen haar gezicht en ook de geduldige handen en een koel, weldadig strelen wanneer de chef de verf aanbrengt. Na het föhnen gaat hij met zijn handen van beneden naar boven door haar haren, die bruin en geel gestreept als een waaier om haar hoofd staan. Haar gezicht ziet er achter al die haren uit als een verdwaalde vlek. Zo, zegt de chef en verwacht geen antwoord, ze knikken elkaar onder het imitatiepoortgewelf toe, dat de chef onlangs bij de kassa heeft laten optrekken, maar ze moet toch betalen, het dubbele van anders, wassen, knippen, lokjes, zegt de chef trots, u kunt naar het bal vanavond.

Ernst heeft voor Lili een armvol nieuwe knuffelbeesten gekocht, heeft in de speelgoedafdeling rondgezworven en tussen luidruchtig oorlogsmaterieel en poppenbedjes met roze ruches naar simpele, vriendelijke knuffelbeesten gezocht, die voor Lili het vreemde bed en de nachten bij hem wat draaglijker zouden kunnen maken. Er waren katten met glazen ogen en elektronisch bestuurde honden die blaften en met hun staart kwispelden. Ernst wilde een gewone teddybeer of misschien een mooie grijze pluchen olifant, maar de teddy's waren onbetaalbaar en de olifanten hadden reusachtige lachwekkende oren en wenkbrauwen.

Ten slotte besloot Ernst om een duizendpoot in primaire kleuren, een wasbare eend van badstof en een grote, zachte krokodil te nemen, die Lili aan het hoofdeinde kon leggen. Hij stapelt alles op het pas verschoonde bed voor hij haar ophaalt, en lokt haar het huis binnen, ik heb wat voor je, vannacht zul je vast en zeker heerlijk slapen. Eerst eten ze nog een ovenschotel met worteltjes, die Lili niet erg lekker vindt, maar Ernst probeert steeds om gezond te koken en de verleiding te weerstaan zijn dochter om te kopen, want natuurlijk zouden ze elke vrijdag ook patat kunnen eten. Lili legt de stukjes wortel op een stapel, dan maakt ze er figuren mee tot Ernst haar met de oeroude zin moet vermanen, die al tussen zijn lippen wegsterft terwijl hij hem uitspreekt: niet met het eten spelen. Bij mama mag ik dat wel, roept Lili, springt op en rent naar de woonkamer, waar Ernst voor het weekend haar bed neerzet. Ernst wacht en luistert ingespannen tot haar vreugdekreten zullen klinken, maar alles blijft stil. Dan plotseling schreeuwt ze zo hard ze kan, alsof ze echt in nood zit, papa, kom gauw, een boze krokodil, die wil me opeten.

Dan is het weer dinsdag, alweer dinsdag, Ernst en Regina weten het nog voor ze wakker worden en na het rinkelen van de wekker liggen beiden roerloos in hun bed en wensen dat de dag voorbij was. Ze verlangen naar de geur van de dinsdagavond en het gevoel van een nieuw begin. Nooit hebben ze zo veel vrijheid. Hohes C moet ik kopen, denkt Regina en Ernst denkt, ik heb de whiskeyglazen vergeten, hoe is dat mogelijk, ik kan niets meer onthouden, het begint nu ook al bij mij. Hij ziet de schrandere, bijziende ogen van de professor, die met hem door de wereld is gereisd, die hem zijn eerste woordenboek, zijn eerste echte grammofoonplaat, en een originele vulpen heeft gegeven toen hij nog te klein was om zelf zijn schoenen aan te trekken. Nu moet Gabriële de veters van de professor strikken, en soms loopt hij op sokken naar buiten. Ernst denkt om zichzelf te testen: hoe heten de leerlingen van de vierde klas, de hoofdsteden van de landen in Zuid-Amerika en de ministers van Economische Zaken van de laatste tien jaar, maar geen enkele minister schiet hem te binnen en om eerlijk te zijn ook de huidige niet.

Zo begint het.

Hij krijgt het warm, gooit de deken van zich af en ruikt de stank van de slaap die zich nu in de hele kamer verspreidt, ik stink ook al, denkt hij, net als vader, Lili heeft het immers gezegd en kinderen hebben altijd gelijk.

De professor ruikt eigenaardig, het is welbeschouwd geen stank die je door luchten of wassen kwijt kunt raken, het zal waarschijnlijk de lucht van het tehuis zijn, die alles doordringt. Ik kan hem geen verwijten maken, denkt Ernst, ik kan hem toch ook niet zeggen dat hij zich beter moet wassen. Ooit heeft hij, toen de professor in de cafetaria met zijn notities bezig was, snel zijn neus tegen de broek van de professor gedrukt, die naast de badjas hing, tegen de naad in het kruis, misschien was er daar een luchtje, oude heren laten soms wat lopen, dat is geen schande, maar hij rook niets en dat was wel een schande. Een brandende schaamte dreef hem de badkamer uit, de gang op, vanwaaruit hij het gebogen hoofd van zijn vader in de cafetaria zag, langzaam heen en weer bewegend op het ritme van zijn schrijvende hand.

Op een haar na lopen Regina en Ernst elkaar tegen het lijf, even over half vier, op de benedenverdieping van het warenhuis waar Regina de roltrap naar de levensmiddelen neemt en tussen de ananassappen, de passievrucht-, druiven- en multivitaminesappen plotseling niet meer weet waarom het Hohes C moet zijn, wie is daar eigenlijk mee begonnen, denkt ze, wat is er zo bijzonder aan dat spul behalve de prijs, ik zou ook eens heel wat anders kunnen nemen, mijn moeder verrassen en ze koopt een fles cassis. Op hetzelfde moment speurt Ernst naar whiskeyglazen. Zijn rug is bezweet, hij heeft nog met een leerling gepraat en daardoor de bus van drie uur naar de stad gemist. Met zijn magere vingers zoekt hij tussen sektglazen, bowlschalen en bierpullen, dit onder het waakzame oog van een verkoopster die van glazen geen verstand heeft, want hij heeft haar naar whiskeyglazen gevraagd en ze heeft langs hem heen gekeken en met een slap handje door de lucht gezwaaid, daarginds, dat is alles wat we hebben.

Ernst weet dat de professor zich de whiskeyglazen niet zal herinneren, maar hij moet ze meebrengen, er hangt iets van af, het is een soort examen dat gevolgen kan hebben, een ommekeer natuurlijk niet, maar misschien een kleine verschuiving, een geringe verbetering. Onzin, mompelt Ernst en pakt uit de piramiden twee stevige ronde glazen, waaruit je whiskey zou kunnen drinken, zo klopt het, hij is voor het examen geslaagd en meteen pakt hij er nog twee, de professor moet niet denken dat hij nooit meer dan één bezoeker tegelijk krijgt.

Wanneer de onveranderlijken hun verwachtingsvolle blikken op de parkeerplaats richten, zien ze hoe de zoon zich met een pakketje en uitzonderlijk rasse schreden naar de ingang haast. De dochter neemt langzaam de bocht naar de inrit en fatsoeneert in de binnenspiegel kijkend nog haar kapsel, zoals altijd een hopeloos geval, denken de onveranderlijken, melkboerenhondenhaar, van de kostbare handen van de chef hebben ze geen vermoeden, maar de gele pieken zijn nieuw, dat merken ze allemaal, behalve zij die aan grauwe staar lijden. Dankbaar bewegen de onveranderlijken hun lippen en houden de aankomst in het oog. Maik heeft vandaag geen tijd gehad om het ontvangstcomité neer te zetten. Ernst en Regina komen bij de draaideur samen en knikken elkaar toe. Vale huid, denkt Ernst, rokershuid, en zij denkt, wat heeft hij daar, een cadeautje, en dan blijven ze even staan, hij plukt aan zijn bezwete overhemd, zij strijkt nog een keer door haar haar, ze aarzelen allebei om zich in die andere tijd te storten, een verzadigde, kinderloze, slapeloze, uitgedroogde tijd, een tijd zonder tramkaartjes en afspraken, zonder vuilnisdagen en boodschappen, zonder wafels bakken ook en vlees voor de zondag. Niemand heeft hier een keuken.

Welbeschouwd hebben ze het goed, denkt Regina vermoeid, hoewel ze nauwelijks in staat is om naar binnen te gaan, het steenslag op de parkeerplaats knerpt al anders dan elders en bezorgt haar lood in de schoenen. Ze zitten er maar en laten het leven aan zich voorbijgaan. Ze laat zich door Ernst meenemen, dwars door die muur van blikken, hoe vaak was ik al niet hier, denkt ze, waarom wordt het niet gemakkelijker, en plotseling verlangt ze naar een dikke, levendige baby die ze in een van die reusachtige kinderwagens op rubber banden kan voortduwen en die als een bliksemafleider alle blikken naar zich toe zou trekken en daarachter zou ze zichzelf dan stiekem door de stilstaande tijd smokkelen, die vervolgens weer zou kunnen verglijden, vliegensvlug zelfs, met dag-met-het-handje en kietelen, voeden, verschonen en kirren. Moeder interesseert zich dan wel niet voor baby's, maar ze zullen toch beter dan vogeltjes zijn, je kunt je blik op hen laten rusten, terwijl je met je tong de Hohes C in je mond heen en weer beweegt, maar vandaag is er cassis.

Papa, ik heb de whiskeyglazen voor je meegebracht, zegt Ernst, terwijl hij nog in de deuropening staat en steekt de professor het pakje toe. Wat, zegt de professor en kijkt niet op van het boek waarover hij zich heeft gebogen. Ernst wacht even, dan zegt hij met nadruk, papa, ik ben het, het is dinsdag vandaag, kijk eens wat ik hier heb. Het valt niet mee om daar uit te komen, zegt de professor waarschuwend, hij houdt een vinger in het boek gedrukt en draait zich langzaam naar Ernst om zonder hem te zien. Ernst gaat achter hem staan, vader, wat bedoel je nou, wil je me geen goedendag zeggen. Dat heeft geen betekenis, de professor schudt zijn hoofd en schudt ook de hand van zich af, die Ernst op zijn schouder gelegd heeft.

Ernst doet een stap achteruit en legt de doos voorzichtig op het bed, waarover Gabriële een okerkleurige sprei heeft gelegd, afschuwelijk, denkt Ernst, daar moest ook eens wat nieuws komen, maar waar zijn moeders dekens eigenlijk, moeder had tegen het eind nogal wat dekens nodig, we hebben ze waarschijnlijk allemaal weggedaan. Dan kijkt hij naar de professor, die zorgelijk met zijn vinger langs de regels gaat en hoofdschuddend aantekeningen maakt, wat heeft dat voor zin, denkt hij, waar maakt hij zich druk om, hij neemt toch niets meer op en onmiddellijk daarop voelt hij zich heet van schaamte worden, hij wil de gedachte uitwissen, maar daartoe is niemand in staat. De professor gaat omslachtig staan, beweegt zijn schouders, speelt met zijn stijve vingers, dan laat hij een wind en hij steekt zijn hand naar Ernst uit, kom oude vriend.

Ernst sluit zijn ogen en legt zijn voorhoofd tegen de schouder van zijn vader.

Regina slaat, als ze langzaam de deur opent, bijna achterover. Pal tegenover de deur zit mevrouw von Kanter en staart met wijd opengesperde ogen naar de klink. Mama, zegt Regina en haalt diep adem, je zou iemand de schrik op het lijf jagen, wie heeft je hier in vredesnaam neergezet, je zit daar als de keizerin van China op haar troon. Ze praat meteen weer door zonder op de trage geluiden van haar moeder te wachten, het verkeer in de stad was net een gekkenhuis, zoals altijd trouwens, wees blij dat jij er niet meer door hoeft, jij zit hier als de keizerin van China. Regina's stem wordt harder en schel en ze merkt het, tegelijkertijd merkt ze ook dat ze de bloemen vergeten is, ik zeg niets, denkt ze, ik hoef me niet te verontschuldigen, tenslotte verbreek ik geen afspraak, ik doe het vrijwillig omdat ik royaal wil zijn, royaler dan mijn moeder ooit voor mij geweest is.

Feller dan de bedoeling was zegt ze, jij komt niet van je plek, hè. Maar je hebt ook alles, waar is de inneembeker, heeft Maik die weer ergens anders neergezet? Ze haalt de cassis uit de tas, vult de beker tot aan de rand met de paars schuimende frisdrank, hier, iets speciaals, op je gezondheid. Mevrouw von Kanter heeft zich niet verroerd, stokstijf zit ze daar, haar vingers om de knop van de mahoniehouten armleuning van haar fauteuil geklemd. Er breekt iets in Regina. Ik weet dat ik om de bloemen had moeten denken, brengt ze uit, ik heb gewoon te veel aan mijn hoofd en ze houdt haar moeder de cassis onder de neus. Mevrouw von Kanter deinst terug en sluit afwerend de ogen. Ze probeert haar arm op te tillen en stoot daarbij de beker om. Een grote golf gutst bruisend neer op haar dijen en druppelt tussen haar benen door op het tapijt.

Vroeger dan anders verlaat Regina het tehuis, ze heeft nog gedweild zo goed als het ging, maar het leer van de fauteuil was al volgezogen. De rest van de fles heeft ze in de wasbak leeggegoten. Ook Ernst staat om even voor half zes al voor de hoofdingang, maar hoewel hij diep ademhaalt, blijft de bevrijding nu weg, hij voelt zich niet opgelucht en evenmin verjongd. Vandaag heeft hij zijn vader niet uit diens verwarring kunnen verlossen, de professor heeft de whiskeyglazen niet eens bekeken, hardnekkig heeft hij erop gestaan om met de vreemde bezoeker Ernst over zijn aantekening te discussiëren, maar toen Ernst zich vooroverboog zag hij dat op het schrijfblok alleen maar kleine potloodkrabbels stonden, vel na vel was met lijntjes en streepjes bedekt. Toen moest hij opstaan en snel afscheid nemen, hij gaf de professor, die zich deze keer niet liet omhelzen, een hand en haastte zich langs de overvolle, rokerige cafetaria naar buiten.

Nu staat hij daar als een geslagen hond, hij zou wel weg

kunnen gaan, maar het is veel te vroeg, hij heeft het bezoek niet volbracht, hij heeft helemaal niets volbracht, en als hij Regina met een sigaret bij haar rode Golf ziet staan, gaat hij meteen naar haar toe en vraagt haar of hij er ook een mag hebben. Hij zuigt zijn mond en longen vol met de bittere rook, dat raak ik de hele avond niet kwijt, denkt hij, en je wordt er ook ziek van, dan zegt Regina, anders rook ik eigenlijk maar zelden, maar op dinsdagsavonds heb ik er een nodig. Ja absoluut, zegt Ernst, ik zou ook een pakje moeten kopen. Ze lachen een beetje. Hoe gaat het met uw moeder, vraagt Ernst. Ach, zegt Regina. Waar moet ik beginnen. Uw vader schijnt nog heel goed in vorm te zijn. De lach van Ernst is even bitter als de rook, die had u vandaag moeten zien. Hij heeft me niet eens herkend. En ik hem ook niet. Mijn moeder heeft me vandaag aangestaard alsof ik haar naar de keel wilde vliegen, zegt Regina. Mijn vader ook, zegt Ernst.

Ze kijken elkaar aan, verbluft over de gedeelde smart. Kan ik u nu een lift geven, vraagt Regina. Ernst schudt zijn hoofd, maar hij blijft staan en ook Regina stapt nog niet in. Ze zwijgen en voelen nu toch hoe een gevoel van bevrijding zich gaandeweg van hen meester maakt, de tijd verstrijkt weer, ze zijn ontkomen, allebei, ze hebben gedaan wat ze konden en de avond is nog niet voorbij. Tegelijkertijd draaien ze zich om naar het huis, waar achter de ruit de gezichten van de onveranderlijken als vage, witte vlekken te zien zijn. Ik pleeg liever zelfmoord dan dat ik naar een tehuis ga, zegt Ernst opeens tegen Regina.

Lili en Ernst kijken het familiealbum door dat Ernst voor die avond heeft klaargelegd om in Lili de herinnering aan de familie levend te houden. De foto's bezorgen Ernst een wee gevoel in zijn maag. Met een waas voor zijn ogen ziet hij Lili met haar dikke babyhoofd, Lili met haar speelgoedhaas op het potje, Lili met een bloedende knie in de armen van zijn vrouw, zijn vrouw met haar hoofd uitdagend schuin, hoewel ze toen al dagelijks ruzie hadden. Wie is dat, vraagt Lili en wijst op de professor bij een verjaardagsetentje, met geheven glas en een spottend, intelligent lachje. Dat is al lang geleden, zegt Ernst, dat is opa, die ken je niet meer.

Maar Lili is haar opa niet vergeten. Opa heeft me altijd voorgelezen, zegt ze, hij had zo'n dik, geel sprookjesboek, Rapunzel heeft hij gelezen. Ze knielt op het bed en laat haar haren voor haar gezicht hangen. Klopt, zegt Ernst verrast, het sprookjesboek, ik weet echt niet waar dat gebleven is. Rapunzel, Rapunzel, roept Lili. Ernst herinnert zich de tekeningen in het sprookjesboek, de prinsessen met de fraai gebogen neuzen, de uitgedroogde heks, de kikker die leek op zijn kleuterschooljuf, ja het sprookjesboek, zegt hij zachtjes.

Lili gaat rechtop zitten, gooit haar haren naar achteren en zegt, we gaan hem bezoeken. We kunnen hem nu niet bezoeken, zegt Ernst vlug, hij is in een huis en daar slaapt nu iedereen al. Net als bij Doornroosje, zegt Lili. We kunnen er morgen wel heengaan, zegt Ernst nadenkend en heeft er onmiddellijk spijt van, morgen is het zaterdag, een dag zonder de geur van het tehuis, zonder whiskeyglazen, zonder schuld en angst en snel zegt hij, ach nee, we doen wat anders, iets leuks, wat denk je van de dierentuin. Maar Lili luistert niet meer, ik maak een tekening voor hem, roept ze en rent al naar haar vaders bureau, we kunnen ook bloemen voor hem plukken.

De volgende morgen blijkt Lili nog niets te zijn vergeten, ze bindt een goudkleurig lint om de enorme tekening met de harten en de bloemen, plukt in de voortuin de margrieten van de huisbazin, erg zachtzinnig gaat dat niet, en troont haar vader mee naar de bushalte. Ernst voelt zich niet op zijn gemak, hij moet haar hooggespannen verwachtingen temperen, anders vloeien er straks bittere tranen, luister eens, zegt hij, opa is soms erg moe, misschien wil hij ons vandaag wel niet zien. Dan maken we hem wakker, zegt Lili, ik kietel hem en om het te proberen kietelt ze Ernst met de margrieten die hun kopjes al laten hangen.

Op de parkeerplaats voor Haus Ulmen, waar vandaag de auto's bumper aan bumper langs hen kruipen, huppelt ze om Ernst heen, die steeds langzamer begint te lopen, maar dat is een groot huis, woont opa daar helemaal alleen, en Ernst ziet hoe de onveranderlijken zich achter de ruit naar voren buigen en met hun handen op hun knieën steunen, dat zien ze niet iedere dag, daar zal de professor blij mee zijn. Tussen kleinzoons met gladgekamde haren en treuzelende schoondochters baant Lili zich een weg door de draaideur zonder zich naar Ernst om te draaien. In de entreehal, waar je, zoals ieder weekend, van de vloer kunt eten, blijft ze staan en staart naar de onveranderlijken. Sommigen wenken haar met een kromme vinger, iemand rommelt prompt in haar tasje en zwaait met een hoesttablet. Lili doet een stap achteruit en grijpt naar de hand van haar vader, waarom zitten die allemaal hier? Hoor eens, probeert Ernst het nog eens, hier wonen heel veel verschillende mensen, sommige zijn al heel oud en misschien herkent opa je niet meteen, maar Lili luistert niet en staart Maik na die met een lege rolstoel dwars door de hal slingert.

Voor de kamer van de professor plukt ze verlegen aan haar broek en vertikt het om op de deur te kloppen. Ernst wil zich al omdraaien, maar hij voelt de blikken van de bezoekers die in de cafetaria ronddrentelen om niet naar de kamers te moeten, hij weet dat de professor achter de deur zit, ondanks zijn verwarde geest een dapper man, en hij gaat naar binnen. De kamer is leeg. Ernst wil al op de gang gaan kijken als hij iemand buiten op het terrasje ziet hurken. Papa, roept hij en gooit de terrasdeur open. De professor ligt geknield op de bemoste tegels en steekt juist een vetbolletje tussen zijn lippen. In alle rust kijkt hij op, knikt naar Ernst en Lili en veegt langs zijn kin.

Wat doe je nu, papa, roept Ernst, dat is vogelvoer, hoe kom je daaraan, en hij grist hem het slappe zakje uit de hand. De professor staat op en klopt zijn broek af. Ik had trek, zegt hij voldaan, en daarginds heeft men voedsel om op te eten neergehangen. Hij wijst op het vogelhuisje van mevrouw von Kanter en legt Lili uit dat je geen etenswaren in de open lucht moet bewaren. O ja, zegt Lili en dan vraagt ze vlug, opa waar heb je het dikke sprookjesboek. Sprookjesboek, sprookjesboek, zegt de professor, en Ernst wordt meteen bang dat hij in zijn antwoord zal blijven steken, wat weer op een schreeuw kan uitlopen en begint te praten, weet je nog wel, je hebt Lili toch altijd voorgelezen, in de armstoel, toen ze nog heel klein was, nu wordt ze binnenkort zes, en je was nog, ik bedoel, het oude huis was niet kindveilig, we moesten daar tape op de stopcontacten plakken.

De professor luistert niet. Anna, zegt hij tegen Lili, ik lees je voor wat je maar wilt, en gaat op de bank zitten. Met zijn rug drukt hij de margrieten kapot die Lili op de kussens gegooid heeft, en Lili werpt zich naast hem neer en wringt haar hoofd onder zijn elleboog door. Rapunzel, roept ze. Ernst kijkt rond of hij het sprookjesboek kan vinden, maar de professor is al met vertellen begonnen, hij vertelt over Rapunzel, die net zulk lang haar heeft als Anna, en als ze het kamt, valt ze in slaap en slaapt honderd jaar en wordt door de heks gebraden tot de dieren roepen, je hebt met ons gegeten, je hebt met ons gedronken en hij knipoogt naar Ernst, terwijl Lili vol spanning voor zich uit kijkt.

Dan laat hij Ernst gebak halen en pakt voor Lili de oude vulpen en de inktpot uit de la, ze schrijft met schuine letters en morst inkt op de leren onderlegger, terwijl hij stilletjes van terzijde naar haar kijkt. Het is fijn, zegt hij zachtjes tegen Ernst, om Anna hier te hebben, ze is altijd mijn steun en toeverlaat geweest. Ernst krimpt ineen, hij hoopt dat er bij het afscheid geen tegenstribbelen zal zijn, maar Lili is een kampioen in het afscheid nemen, ze staat al buiten de deur voor hij de juiste woorden gevonden heeft. De professor ziet bleek, het vetbolletje moet met de schwarzwalderkirsch tot een ongezond mengsel samengeklonterd zijn en Ernst raadt hem aan om een maagbittertje te nemen voor hij de deur stevig achter zich sluit.

In de bus heeft ze het niet meer over het bezoek, maar als Ernst haar 's avonds tussen een stapel kleurige knuffelbeesten, die ze dit keer van thuis heeft meegebracht, wat voorleest, voelt hij plotseling een siddering naast zich. De krokodil heeft hij niet meer kunnen ruilen, die ligt in plastic gewikkeld onder zijn bed. Wat is er, vraagt hij Lili en vreest het ergste, het kind is in de war, ze zal zijn vrouw alles vertellen, hij zal haar niet meer mogen zien, ze is beschadigd. Opa heeft veel mooier voorgelezen dan jij, snikt Lili en slaat het boek uit zijn hand.

Op deze zondag, die mevrouw Hint bij meneer Lukan doorgebracht heeft en waarop mevrouw von Kanter met verontwaardigde protestgeluiden de diefstal van het vogelvoer probeerde te verhinderen, maar niemand hoorde haar, zit Regina 's avonds in haar woonkeuken achter de asperges. De aspergetijd is allang voorbij, maar Regina is haar eigen baas, tenslotte zijn er het hele jaar door glazen potjes, waarin de geschilde asperges blauwachtig glanzen, ze heeft ze gekocht, om zichzelf na het werk op zaterdag te belonen, en ook nog een fles witte wijn. Ze schilt aardappels, schenkt wijn in, maakt de asperges warm tot ze wit worden, van oud maak je weer nieuw, mompelt ze en beweegt haar vingers en tenen die na zo veel uren achter de computer koud en vochtig geworden zijn. Ze steekt een kaars aan die sterk naar vanille geurt en denkt plotseling, als ze het eerste, stokkerige stuk asperge tussen haar tanden door naar buiten trekt, aan het paasfeest in Der goldene Hirsch, mevrouw von Kanter aan het hoofd van de tafel, indrukwekkend in haar donkerrode pakje met een fijngekauwde asperge op haar bord. De ober maakte zijn excuus, maar dat was niet voldoende, mevrouw von Kanter vroeg naar de chefkok, die met zijn lange, majestueuze gestalte uit de keuken kwam, zeker van zijn zaak, en stak vol afkeer met haar vork in de asperge. Wat denkt u wel, riep ze, terwijl Regina haar kalmerend op haar onderarm tikte, in deze cafetaria, hoe kunt u me dit uitleggen. De chefkok, die wat rood in zijn gezicht begon te worden, wilde iets zeggen, maar mevrouw von Kanter schoof haar stoel achteruit en zwaaide met haar lepel door de lucht, bij uw reputatie en niet te vergeten uw prijzen, snerpte ze, sta ik op eersteklas kwaliteit, dat zou toch vanzelfsprekend moeten zijn. Regina leunde achterover, hier viel niets meer te redden, de andere gasten hadden vol belangstelling hun lepels laten zakken en mevrouw von Kanter stond daar in haar donkerrode pracht. De chefkok was zachtjes vloekend achteruit gedeinsd, later hadden ze een prettig gesprek gevoerd en bij het dessert was er gratis koffie.

Komende dinsdag ga ik niet, zegt Regina plotseling hardop en dan zegt ze het nog een keer om van de opluchting die ze daarbij voelt te genieten, dinsdag ga ik naar de sauna. De asperges gooit ze in de afvalbak.

Terwijl Regina die dinsdag in de sauna zit, voor de eerste keer sinds jaren, stuntelig in haar handdoek gewikkeld en in de verste hoek van de onderste bank weggedrukt, verpakt Ernst een foto van Lili in cadeaupapier om die bij de professor op het nachtkastje te zetten. Maar als hij het lint er om wil doen, schudt ook hij plotseling zijn hoofd. Nee, zegt hij hardop, niet nu alweer. Per slot van rekening is hij er pas drie dagen geleden met Lili geweest, dat moet voldoende zijn en de foto zal hij komende dinsdag wel voor hem meenemen. Bijna begint hij hardop te lachen. Hij zal alles uit die twee gestolen uren halen, hij zal wat ongewoons doen, iets jongs, onstuimigs, iets wat hem fris en sterk maakt, dan heeft iedereen daar voordeel van, ook de professor. Met de triomfantelijke boosaardigheid van een spijbelaar pakt hij zijn saunatas.

Na het lichtorgel en het Romeinse stoombad durft Regina naar de Finse sauna, een kleine, houten hut, helemaal achter op het terrein, waar de hitte als een blok op haar valt als ze de deur opent. Goedendag mompelt ze, maar in de Finse sauna zegt niemand iets omdat de hitte je lippen uitdroogt, en Regina gaat dapper naast de man op de middelste bank zitten en trekt haar knieën op om haar uitgezakte borsten tegen blikken te beschermen. Maar de man houdt zijn ogen gesloten, zijn voorhoofd is pijnlijk gefronst alsof hij zichzelf martelt, terwijl het zweet in dikke druppels over zijn rug en armen loopt. Als hij zachtjes kreunt vraagt Regina onwillekeurig of alles oké is. Hij spert zijn ogen open en staart haar aan.

Regina herkent hem meteen. God o god, mompelt ze, neemt u me niet kwalijk, ze slaat haastig haar handdoek om en gaat dampend naar buiten.

Ernst komt haar meteen achterna, hij glijdt bijna uit op de planken, wacht even, zegt hij, ik was al veel te lang binnen en terwijl ze toekijkt rent hij het ijskoude water van de kleine vijver voor de hut in, spartelt proestend heen en weer en raakt met zijn voeten in het kunstriet. Als hij uit het water komt wendt ze snel haar blik af. Terwijl ze doucht en haastig met haar vingers haar haren ontwart, probeert hij zijn handdoek netjes om zijn heupen te doen, maar het helpt weinig, zijn buik blijft zichtbaar, zijn knokige knieën en zijn kleine, onbehaarde mannenborsten. Wilt u, ik bedoel, zullen we even uitrusten, vraagt hij en wijst op de ligstoelen onder de linden en Regina die graag een laken bij de hand had gehad of een badjas, trekt haar te smalle handdoek stevig over haar borsten en zegt vrolijk, graag, ik ben sowieso aan een pauze toe.

Ze geven elkaar de fles met water aan, klappen de stoelen achterover en plukken aan hun handdoek. Regina strijkt stiekem over de sinaasappelhuid van haar bovenbenen, die hij niet mag zien en zegt, u komt hier zeker wel vaker. O ja, liegt Ernst, maar nooit op dinsdag, ze lachen samenzweerderig en hij voelt hoe hij onder de badstof opzwelt, dat kan ze niet zien, denkt hij, ze ziet er beter uit vandaag, je zou haar haast niet meer herkennen. Terwijl ze over de dinsdagen, dit ongelooflijke toeval en het transpireren praten en over de noodzaak om veel te drinken, twee liter op z'n minst, kijken ze naar de door de hitte roodgevlekte huid, de vochtige, dunne haren en de verschrompelde tenen van de ander. Als ze bij het opstaan elkaar met de schouders raken geeft dat een aangename schrik.

Later drinken ze in het schemerige saunacafé nog een Sanddornmixje. Regina's vochtige haren doorweken haar kraag, uit de zak van Ernsts jasje hangt een sok en ondanks alles voelen ze zich in het zachte licht van de rustieke tafellampjes strak in hun vel en wat opgewonden. Mag ik u, ik bedoel, zullen we elkaar tutoyeren, nu er toch niet veel verborgen gebleven is. Niet veel verborgen gebleven, herhaalt Regina. Ze kan niet gezien hebben wat er op de ligstoel bij me gebeurd is, denkt Ernst, en dan denkt hij, mijn god, ik gedraag me als een scholier, tenslotte zijn we volwassen en mogen we op elkaar vallen, daar hoef je toch niet zo moeilijk over te doen. Hij schraapt zijn keel en zegt, u ziet er vandaag, ik bedoel, je ziet er vandaag mooi uit. Wat wil hij daarmee zeggen, denkt Regina, op andere dagen niet soms, maar dan kijkt ze Ernst aan en leest van zijn gezicht een hulpeloze, verraste dapperheid die zijn weke trekken verandert, zodat ze hem langer blijft aankijken dan ze beiden hadden verwacht.

Mevrouw von Kanter wacht op het bezoek van haar dochter. Omdat de klok schuin achter haar staat en ze vandaag de kracht niet heeft om haar hoofd om te draaien, moet ze op de geluiden in het huis afgaan en op het steeds voller wordende licht van de middag. Met de middelvinger van haar minst zwakke hand trommelt ze op de armleuning, een flauwe, verlangzaamde afspiegeling van haar onbeheerste uitbarstingen alsof er een film vertraagd wordt afgedraaid. Ik heb staan dansen van woede, denkt ze, geweldig, voor mij was geen mens veilig. Wanneer Maik met het avondeten komt, dat hij vandaag in haar mond zal moeten stoppen, staan de tranen van woede in haar ogen, maar Maik weet niet waarom, want hij is vergeten waar ze vandaag eigenlijk recht op had.

Ik geloof dat u iets in uw oog heeft, zegt hij tegen mevrouw von Kanter, ze houdt haar hoofd stijf, maar hij drukt het achterover en friemelt wat rond haar ogen, hoewel ze met blaffende geluiden en hevig ogengeknipper protesteert, wacht, ik heb het zo, en dan is er kruidenkwark. De kruidenkwark in Haus Ulmen is walgelijk, mevrouw von Kanter is bang voor het uienpoeder en de droge nasmaak van de smaakversterker en perst haar lippen op elkaar, maar Maik drukt ruwer dan anders de lepel tussen haar tanden alsof hij haar dag definitief wil verpesten. Misschien heeft hij haast, misschien heeft hij andere plannen, dat maakt voor mevrouw von Kanter niets uit, zij komt in geen enkel scenario voor, ze hebben allemaal wat beters te doen en ze schuift hulpeloos met haar tong de kwark heen en weer tot ze er bijna in stikt.

De professor daarentegen heeft niets gemerkt, hij was druk bezig, heeft veel genoteerd en de aantekeningen toen achter de boekenkast geschoven, opdat niemand ze steelt, want vandaag heeft hij het gevoel dat hij in de gaten wordt gehouden en men misbruik van hem wil maken. Het lijkt er dus op dat het een slechte dag is, hoewel het werk hem vlot afging. Maar als het erop aankomt, weet de professor zichzelf te beschermen. Hij heeft al voor talrijke geheime bergplaatsen gezorgd, zijn werk is omzichtig over de kamer verdeeld en zelfs Ernst of andere verwanten kunnen niet vermoeden wat voor vondsten er tussen de bladzijden van de boeken gedaan kunnen worden of achter de truien of onder de matras. Alleen Anna mag natuurlijk alles weten, hij heeft geen geheimen voor haar, de volgende keer moet hij eraan denken om haar in te wijden.

’s Avonds krijgen ze sneetjes brood. Er is ook kruidenkwark bij, maar die schuift de professor vol weerzin van zich af. Hij steekt zijn neus omhoog, ademt de warme lucht in en zegt, het ruikt hier. Er is niemand om hem tegen te spreken, maar hij herhaalt het en nu luider, het ruikt hier ergens naar, roept hij en snuffelt krachtig, het stinkt, ja het ruikt naar vis. Hij houdt zijn neus boven de kwark, boven de sneetjes met kaas, dan staat hij op, loopt in de kamer heen en weer, ruikt aan de ruggen van de boeken, de kussens op de bank, zelfs aan het papier dat op het bureau ligt. Ten slotte gooit hij de deur open en schreeuwt de gang in, hier ruikt het naar vis.

Gabriële en Maik, die het vaatwerk op de wagentjes sorteren, horen hem en sperren onwillekeurig hun neusgaten open. Onzin, zegt Gabriële, ik ruik hier niets of ruik jij wat, dat heeft hij zich in het hoofd gehaald, hij raakt steeds meer in de war, die goeierd. Met het hoofd wat in de nek stapelen ze snuivend de dienbladen boven elkaar, maar de professor blijft schreeuwen en daar gaan verderop in de gang de eerste deuren al open, op een spleetje slechts en worden er neuzen om de hoek gestoken. De hele benedenverdieping vult zich met een nauwelijks hoorbaar gesnuffel en gesnuif. Ik ben niet op mijn achterhoofd gevallen, roept de professor, zorg dat hij verdwijnt, die vislucht.

Laat het maar aan mij over, zegt Gabriële tegen Maik. Ze duwt het wagentje tot recht voor de kamer van de professor, dringt hem terug, de vestibule in en doet de deur achter hem dicht. Waar stinkt het hier dan, professor, zegt ze en steekt haar neus zo ver mogelijk in de lucht, als je het mij vraagt is alles prima in orde, en nu uitkleden, ik ga slapen, ik ben moe. De professor begint de knopen van zijn overhemd los te maken, maar gerustgesteld is hij niet, als ik u toch zeg dat u naar de oorzaak moet zoeken. De oorzaak bent u, professor, zegt Gabriële niet onvriendelijk en wappert met zijn pyjama, het zit allemaal hier, in de bovenkamer en ze slaat met haar vlakke hand tegen haar voorhoofd, in de bovenkamer.

Terwijl de professor klaarwakker de lucht van de nazomer opsnuift en Maik in de koelkast naar bederfelijke levensmiddelen zoekt, staat Gabriële aan het open raam in de gang en haalt langzaam adem. Het ruikt naar een besproeid gazon, verdroogd gras, misschien naar gemorste perzikbowl en plotseling mengt zich iets anders in de avondlucht, iets zoetigs, stevigs, schimmeligs, iets wat een beetje naar bederf geurt, nu ruik ik het ook al, denkt Gabriële en doet snel het raam dicht. Geen wonder bij die warmte, zegt ze hardop.

Op dinsdagochtend bij het ontwaken voelt Regina zich een beetje opgewonden. Een schuchtere vreugde speelt door het grauwe dinsdagonbehagen heen. Ze föhnt haar haren tot haar hoofdhuid heet en strak tussen haar oren zit en neemt een borstel en een deodorant mee naar haar werk. Voor de screensaver met de dansende goudvissen droomt ze weg. Met een mengeling van angst en blijdschap ziet ze de dag tegemoet, leunt achterover en beweegt haar vingers alsof ze piano wil spelen. Ze denkt aan Helmut, die haar zes jaar geleden toen ze nog soepeler was en gewend om aangeraakt te worden, voor het liefdesspel als een hond besnuffelde, ik ben een geurenmens mompelde hij terwijl hij met de koele punt van zijn neus langs haar lichaam gleed, ze had er moeite mee om het hem te verbieden, hoewel het een merkwaardig gezicht was, die snuffelende Helmut tussen haar benen en aan haar voeten, maar ze had zich van tevoren uitgebreid gedoucht en met citroenolie ingewreven en er viel niets te verbergen. Na de eerste ontmoeting, die ze voor mevrouw von Kanter geheim moest houden om ongehinderd het huis uit te kunnen, vroeg Helmut haar om ongewassen te komen, zodat er iets te ruiken viel zei hij en gaf haar een knipoog. Regina knikte wat benauwd en schrapte zijn naam meteen weer uit haar adresboek. Mevrouw von Kanter kwam niets te weten over Helmut, en over Knut en Joachim evenmin. Ze sloeg de plaatselijke krant bij de contactadvertenties open, legde hem naast Regina's ontbijtbord neer en knikte haar vertrouwelijk toe, de tweede van boven ziet er helemaal niet slecht uit. Ik heb niemand nodig, zei Regina, maar mevrouw von Kanter lachte slechts, dat hoef je mij niet te vertellen. Ik ken je. Je zou wat minder moeten werken en meer aandacht aan jezelf moeten schenken, liefje. Iedereen heeft iemand nodig.

Op het lerarentoilet poetst Ernst uitgebreid zijn tanden. Hij heeft ook een klein elektrisch scheerapparaat en een nog in cellofaan verpakt nieuw overhemd bij zich. Onder de wantrouwende blikken van een collega houdt hij het voor zijn buik, het is glanzend blauw en heel opvallend, bovendien vertoont het duidelijk zichtbare, machinaal geperste vouwen, die Ernst maar lelijk vindt. Iets bijzonders van plan, vraagt de collega hoofdschuddend. Nee, zegt Ernst, of eigenlijk wel, ik ga mijn vader bezoeken. Nou, dat zal me een feestje worden, zegt de collega en Ernst besluit om niet op die spottende opmerking in te gaan, waarom zou hij zich druk maken, wat nu alleen maar telt is vanmiddag. Als hij zijn scheerapparaat uit het leren tasje haalt, buigt de collega zich nieuwsgierig naar hem toe en kijkt hem aan, allemachtig, Sander, je hoeft hem toch niet te kussen. Je kent mijn vader niet, zegt Ernst, hij is zelf verrast door zijn slagvaardigheid en ook de collega grijnst waarderend.

Wanneer ze voor Haus Ulmen aankomen wordt er juist een lijkkist naar buiten gedragen. Dat is, zo lang ze tot de regelmatige bezoekers behoren, nog nooit voorgekomen, want de directie zorgt voor de grootst mogelijke discretie en maakt van een achteruitgang gebruik of laat de doden op de kamers, tot de duisternis en het avondprogramma op de tv ervoor zorgen dat de klus in stilte kan worden geklaard. Natuurlijk heeft iedereen hier voortdurend de dood voor ogen, maar er is geen reden om hem bij zijn bezigheden gade te slaan, zegt mevrouw Sörens, voor de dood moet je respect hebben, zegt ze, anders blaast hij je kaarsje uit. Ze woont iedere begrafenis bij, onverschillig om wie het gaat, daarbij mag je niet kieskeurig zijn, de dood is de dood, en ze werpt een roos op de kist als huldeblijk voor de overledenen en voor hun dood.

Gabriële schudt haar hoofd als ze mevrouw Sörens in haar zwarte pakje met de zwarte netkousen ziet en de roos met de lange steel die uit haar tas steekt. Piekfijn, zegt ze ironisch, met wie ga je uit vandaag en geld speelt geen rol voor mevrouw Sörens. Dan schiet mevrouw Sörens uit haar slof, die twee euro, scheldt ze, jij vrek, dat mag je die oude stakkers toch wel gunnen. Ga je gang, mompelt Gabriële, wie het breed heeft laat het breed hangen. Die merken het toch niet meer. En wie moet nu de taart bakken. Maar op begrafenisdagen kent mevrouw Sörens geen pardon, de oven blijft koud en ze zet een zelfgeschreven bordje neer dat ze altijd onder handbereik tussen haar kookboeken klemt, omdat je in Haus Ulmen nooit kunt weten wanneer je het nodig hebt: WEGENS STERFGEVAL GESLOTEN.

Regina en Ernst staan voor de ingang en werpen elkaar een eerste blik toe, Regina ziet het glanzende blauw met de stumperige vouwen, Ernsts pas gewassen, hoog geföhnde haar, ze proberen zich de ogenblikken in de sauna te herinneren, maar daar schuift de kist er al tussen, reusachtig groot en van fraaie, zwarte kunststof, op een elektrisch aangedreven wagentje, waarmee de limonademan normaal gesproken de kratten afhaalt. Wat afschuwelijk zegt Regina ontsteld, hebben ze hier niets beters, en Ernst zegt, dat is alleen maar voor het transport en dan worden ze door dezelfde schrik bevangen. Die schiet door hun maag en stijgt in een hete gloed naar hun keel, het zal toch niet, fluistert Regina, ach welnee, roept Ernst, dat kan helemaal niet en ze haasten zich door de draaideur, langs de onveranderlijken, die, voor zover ze dat konden, zijn opgestaan en nu voor het raam op hun stok leunen. De gezichten zijn stil en wat verlegen, zoals altijd, wanneer ze te dicht bij de dood komen en tegelijk wat meer van hem willen zien. Wie had dat gedacht, zegt iemand en de anderen knikken deemoedig.

Spijbelen wordt bestraft, denkt Regina en zet het op een drafje, ze is Ernst achter haar vergeten en weet nu zeker dat mevrouw von Kanter in de kist ligt en dat deze vloek haar vrijheid voor altijd zal vergiftigen. Ze balt haar vuist, maar opstandigheid heeft geen zin meer en zal nooit meer zin hebben. Ernst vindt de straf te zwaar, op een sauna staat geen doodstraf, denkt hij, dat kan niet, maar hij weet ook dat er vaak dingen gebeuren die niet kunnen, hij voelt hoe het zweet hem uitbreekt en binnen een paar seconden is zijn blauwe hemd doorweekt.

Op de gangen van de benedenverdieping heerst zwijgen. Achter hun kamerdeur zitten, stil zoals altijd, mevrouw von Kanter en de professor. Hun kinderen happen naar adem en sluiten even hun ogen, doen ze weer open en spelen het elk op hun eigen manier klaar om zich bij de begroeting te beheersen. De dood zweeft nog door de gangen als ze elkaar een uurtje later bij de fontein ontmoeten. Ze kijken elkaar zwijgend aan. En, zegt Ernst ten slotte. Heeft ze gemopperd dat je er dinsdag niet was. Ze kan toch niets zeggen, ik heb de hele tijd gepraat, zegt Regina. En bij jou. Hij wist het niet meer, zegt Ernst, waarschijnlijk heeft hij het niet eens gemerkt. Dus moest ik het bekennen. Ik heb hem alles verteld, dat ik er niet was, dat ik jou in de sauna ontmoet heb. Hij heeft me vriendelijk toegeknikt, maak je maar geen zorgen, mijn jongen, heeft hij gezegd. Toen begon ik te janken. Ze ziet dat zijn ooghoeken nog vochtig zijn. In de blauwachtige glans van zijn hemd is zijn gezicht zo grauw als een vaatdoek. Regina steekt haar wijsvinger uit en tikt hem op de borst. In de sauna ging het beter met je, zegt ze, nu zie je er als een schooljongen uit. Natuurlijk ging het in de sauna beter, mompelt Ernst, met jou toch ook. Haus Ulmen ligt op een andere planeet. In een ander sterrenstelsel, zegt Regina met nadruk. Mijn vrouw vindt mij te oud, zegt Ernst. Plotseling drukken ze zich tegen elkaar aan en omhelzen ze elkaar.

Vanaf die dinsdag beminnen Ernst en Regina elkaar eens per week. Ze doen vrijwel tegelijk de deur achter zich dicht, verlaten samen het tehuis en zorgen door vlak voor de ingang te blijven staan en elkaar op de mond te kussen voor beroering bij de onveranderlijken: schunnige opmerkingen op fluistertoon en smachtende hoofdknikjes. Naast Regina's rode Golf roken ze samen een sigaret en ademen samen de bevrijding in terwijl ze de hartstocht al voelen ontbranden. Ze knikken elkaar toe, misschien barsten ze in een onderdrukt gegiechel uit alsof ze iets onfatsoenlijks doen.

Soms zwaaien ze zelfs naar de onveranderlijken, maar niemand zwaait terug, hoewel Regina een keer gezien meent te hebben dat een hand zich langzaam van een leuning losmaakte, maar ze heeft niet verder gewacht. Als ze van de parkeerplaats de straat oprijden, stroomt er weer jeugdig bloed door hun aderen, een triomfantelijk gevoel, zo samen in de auto, al is het maar voor deze avond, deze nacht.

Ze rijden naar de Beethovenstraße, waar Regina inmiddels de kamer van mevrouw von Kanter heeft afgesloten en de sleutel heeft opgeborgen, of naar Ernst, die op dinsdagochtend de knuffeldieren opruimt, Lili's lego met zijn voet onder de bank schuift, en elke keer moet hij zich weer inprenten dat hij geen verrader is. Aanvankelijk dronken ze in de woonkeuken of op het balkon koffie of sekt om in de stemming te komen en vertelden ze iets over zichzelf. Ik heb nooit leraar willen worden, zei Ernst, ik wilde iets aan de universiteit, snap je. Zoals je vader. Nee, nee, riep Ernst, absoluut niet, ik was, ik bedoel, ik heb geschiedenis gestudeerd, daar weet mijn vader geen snars van. Dat geloof ik niet, zei Regina, het heeft toch allemaal met elkaar te maken, maar Ernst wond zich op en legde haar de verschillen uit, totdat hij zag dat ze niet meer luisterde. Ja, zei ze, ouders zijn vermoeiend. Wat heeft dat ermee te maken, vroeg Ernst en Regina keek naar zijn schilferige ellebogen en zei haastig, genoeg gepraat en dan moesten ze zich snel ontkleden om die overmoedigheid niet kwijt te raken.

Want zonder een rest van die overmoed zou het niet mogelijk zijn om de sokken van je voeten te trekken, ceintuur en bustehouder los te maken, je broek af te stropen, je nieuwe overhemd en blouse van je schouders te laten glijden zonder ze op te vouwen. Ze doen het elk apart, met ingetrokken buik en een beetje van de ander afgewend, hoewel ze uit hun ooghoeken naar elkaar kijken. Alweer koude tenen, denkt Regina, zou hij dat vervelend vinden en Ernst maakt zich zorgen over de bittere smaak in zijn mond, die moet ze toch ook proeven, hij had de sigaret moeten weigeren, en dan lopen ze naar elkaar toe en sluiten hun ogen en betasten de ander langzaam. Regina's koude vingertoppen strijken over de welving van zijn buik. Hij pakt haar handen en stopt ze onder zijn oksels.

Het is beter dat we niet praten, zegt Regina. Waarom, fluistert Ernst, ik wil je toch leren kennen. Zo leer je me veel beter kennen, zegt Regina. Maar je hebt me nog niets verteld, dringt Ernst aan, ik weet nog niet eens of je kinderen hebt of nog meer vriendjes of wat je graag lust en of je bang bent voor spinnen. Nee, zegt Regina, voor spinnen niet.

Die zondag is het dankfeest voor het gewas. Op dringend verzoek van de directie hebben Ernst en Regina besloten om die dag op bezoek te gaan. Maar in het geheim zijn ze vast van plan om de dinsdag daarop vrij te nemen. Als compensatie. De directie heeft oranje biljetten met kleine glimlachende kalebassen laten drukken die als uitnodiging dienen om naar de kerkdienst en de herfstbazaar te komen en zo zitten Ernst en Regina naast elkaar op de achterste rij in de aangepaste, met herfstattributen versierde eetzaal, mevrouw von Kanter zit in haar rolstoel te dutten, terwijl de professor rusteloos in zijn zakken woelt, mijn pen, fluistert hij luid, ik heb iets nodig om te schrijven.

Anderen hoesten of schrapen met hun schoenen. Een aanhoudend gefluister en gemompel hangt tussen de rijen stoelen en wil ook niet verstommen als de dominee het eerste lied aanheft. Dank u voor deze nieuwe morgen, en een paar schorre stemmen beginnen mee te zingen. Meneer Lukan zit ineengedoken op de eerste rij en staart naar de stapels groenten naast het altaar, er staan manden met aardappels, appels en kalebassen, getooid met gevlochten kransen en korenhalmen. Iemand heeft zelfs een hooivork tegen de piano gezet. *Apple crumble*, fluistert mevrouw Hint hem toe, dat heb ik in Engeland gegeten, met kaneel en vanillesaus, maar die heet daar anders. De ogen van meneer Lukan worden zwaar. De herfst, zegt de dominee, is de tijd om te oogsten, wij krijgen terug wat we gezaaid hebben, alles is er in overvloed. Overvloed, klinkt een echo uit de voorste rijen.

Regina en Ernst raken elkaar niet aan, maar bij het tweede lied staan ze tegelijk op, zonder elkaar aan te kijken banen ze zich een weg langs de rolstoelen en staan in de kleine televisiekamer tegenover elkaar, nog voor men met het tweede vers is begonnen. Ze leunen tegen de deur. Het kan niet, fluistert Regina, dat kunnen we echt niet doen, terwijl Ernst zijn handen in haar rug duwt en haar zo vast tegen zich aandrukt dat ze geen woord meer uitbrengt. Zwijgend, met wijd open ogen frutselen ze aan hun knopen, riemen en ritssluitingen. De broek van Ernst zakt over zijn knieën en hangt om zijn kuiten, maar hij bukt zich niet. Regina ziet het in elk geval niet, begeerte en een zoete roekeloosheid en de allesoverheersende angst om betrapt te worden houden haar ogen stijf gesloten. Haastig dringt hij bij haar binnen. Een heftig ademhalen, dat ook een snik kan zijn, Regina legt haar hand op zijn mond, en zo blijven ze nog even roerloos staan, met hun hoofden tegen elkaar. Dan stoppen ze hun hemd in hun broek, strijken met gekromde vingers door hun haar, zitten in een oogwenk weer op hun plaats en horen hoe de voorganger de aanwezigen zegent. Ik zou vaker een rok moeten dragen, denkt Regina, dat zegt mama ook altijd. Ze is verhit, op haar hals zitten rode vlekken en Ernst pakt bij het Onzevader, dat ze geen van beiden meebidden, haar hand. Regina ziet mevrouw von Kanters blik langzaam over de handen en het hete gezicht van haar dochter glijden en weet dat zij het nu ook weet.

Even later scheiden zich hun wegen, Ernst loopt met de professor over de herfstbazaar, die de hele ruimte bij de ingang tot aan de fontein in beslag neemt en luistert naar de raadselachtige gedachtespinsels van zijn vader, terwijl hij van halve walnoten gemaakte dwergen, zelfgebreide sokken, mobiles van de kurkentrekkerhazelaar en rozenbottelmannetjes keurt. Vroeger kon hij de uiteenzettingen van de professor ook al niet volgen, maar dat stoorde hem niet, hij was trots wanneer de krachtige stem door gesloten deuren drong, omdat de professor zijn colleges hardop repeteerde, terwijl hij over zijn huiswerk gebogen zat. Eerst was Anna toehoorster en later stond zijn vader voor het raam en keek uit op de donkere tuin. Repeteer toch met mij, had Ernst na Anna's dood voorgesteld, maar de professor wilde niet, ik zou je alleen maar vervelen, dat is niets voor jou. Alsjeblieft, riep Ernst, het interesseert me, we proberen het, toe nou, en hij ging in een hoek van een bank zitten, aan de linkerkant, waar Anna met een deken over haar knieën en gefronst voorhoofd geluisterd had, maar de professor weigerde. Ernst was niet beledigd, hij mompelde Latijnse woorden en tekende sinuslijnen, terwijl de onfeilbare wijsheid van zijn vader hem als een warme deken omhulde.

Eigenlijk is er maar weinig veranderd, denkt Ernst, hij is alleen en praat en ik luister en snap er niets van. Hij koopt voor Lili een ster van wasknijpers en voor Regina een gehaakte roos met een steel van metaaldraad en wordt in verlegenheid gebracht door een dame van de knutselkring, die bedremmeld zijn geld aanpakt en zegt, ik zou het u net zo goed cadeau willen doen. Ernst begint haar werk onmiddellijk te prijzen, kijk eens hoe ragfijn dat is en wat bent u inventief, maar de dame voelt dat hij medelijden heeft en protesteert, nee, nee dit is helemaal niet zo goed, u had eens moeten zien wat ik vroeger allemaal kon breien. Ze heft haar handen en Ernst ziet dat haar vingers vol knobbels zitten en stijf naar binnen gekromd zijn. Hij weet niet meer wat hij zeggen moet, en hulpeloos glimlachend wendt hij zich weer tot de professor, die mompelend in het midden van de hal staat.

Regina is met haar moeder bij de dansdemonstratie van mevrouw Halter beland, die, met een inmiddels opvallend buikje, trots aan de knoppen van de cassetterecorder draait. Als de muziek losbarst schudt mevrouw von Kanter heftig haar hoofd en werpt Regina dreigende blikken toe, maar het is te laat om de zaal te verlaten, ze kunnen geen kant meer op en voor hen zwaait de dansclub op de polkaklanken met de armen. Mevrouw Halter springt lenig heen en weer, doet alsof ze in haar handen klapt en weet de toeschouwers werkelijk zover te krijgen dat ze meedeinen en op de maat met de voeten stampen. Schoonzoons, nichten en kleinkinderen proberen om de diepe triestheid van de opvoering weg te klappen, een wanhopig carnaval barst los, en als alles eindelijk voorbij is, wordt mevrouw Halter door de directie met een dikke bos asters beloond. Mevrouw Halter drukt de bloemen tegen haar buik en werpt kushandjes naar het publiek. De leden van de dansclub knikken elkaar verlegen toe.

Achter de gezichten wordt vaag de herinnering levend aan de dansen uit een andere tijd. Regina draait zich naar mevrouw von Kanter om en ziet in haar opengesperde ogen het grote feest in de Beethovenstraße bij haar zestigste verjaardag, toen de speciaal gehuurde pianist een touche aansloeg en allen de champagneglazen hieven en zelfs Regina even haar adem inhield toen de jarige de trap af kwam, omdat haar groene avondjurk in het licht van de zojuist opgehangen halogeenlampen glansde als de huid van een hagedis en haar zestig jaren als een erewacht om haar heen stonden.

Die avond keert mevrouw Hint, die het dankfeest maar niets vond, na het tv-journaal onopgemerkt in de kamer van meneer Lukan terug. Hij ligt op zijn rug, zijn ogen halfgesloten, door Maik tot aan zijn kin toegedekt. Mevrouw Hint schuifelt in haar ochtendjas door de gang naar zijn kamer, het duurt wel even, maar niemand ziet haar. Tastend gaat ze door de donkere, wat bitter ruikende vestibule, langs het medicijnkastje tot bij zijn bed. Naast het nachtkastje staat een stoel, die ze voorzichtig naar de rand van het bed trekt.

Haar hart bonst als ze onder de deken naar zijn hand zoekt, haar blik op zijn gezicht gericht. Uit niets is op te maken dat hij schrikt. Zijn ogen blijven halfgesloten, tussen zijn lippen borrelt het een beetje. Zijn hand is zacht en droog zoals altijd. Mevrouw Hint buigt zich voorover en zegt fluisterend in zijn gezicht, zo'n dankdag, het mocht wat, vroeger ging ik ook nooit naar de kerk. Met Kerstmis rende iedereen erheen, maar ik zat lekker knusjes thuis voor de tv. Waarvoor zouden we ook moeten danken. Ik zou niet weten wat er mooi is aan de herfst. Als je het mij vraagt heb ik liever het voorjaar. Ze lacht zachtjes en knijpt in zijn hand en het schijnt haar toe dat er een lichte glimlach om zijn mondhoeken speelt.

Ernst, die Regina in de drukte bij de herfstbazaar is kwijtgeraakt, belt rond deze tijd in de Beethovenstraße aan. Dat is tegen de afspraak en onverstandig, omdat hij morgen vroeg uit bed moet om voor het eerste lesuur proefwerken te kopiëren, maar de gehaakte roos lacht hem toe op haar metalen stengel en kan alleen vandaag cadeau worden gedaan. Als Regina de deur op een kiertje opent, hoort Ernst uit de woonkamer de geluiden van de zondagsdetective op de tv. Met een imposante buiging biedt hij haar de roos aan. In plaats van te lachen staat Regina stokstijf in de deuropening. Ernst zwaait met de roos en zegt, mag ik binnenkomen. Nog altijd beweegt Regina zich niet. Ernst weet niet wat te doen, of hij zich excuseren moet of haar simpelweg omarmen, dan ziet hij dat haar lippen beginnen te trillen. Haar neusvleugels verwijden zich, ze slaat een hand voor haar ogen en begint te snikken. Hij legt de roos op de brievenbus en pakt haar bij de arm, leidt haar terug naar de woonkamer en houdt haar vast, terwijl de commissarissen op het grote beeldscherm, dat mevrouw von Kanter nog gekocht heeft, in hun auto springen.

Hij weet hoe hij troosten moet, ieder weekend Lili's heftige huilbuien als hij haar verbiedt om het houtvrije papier in snippers te knippen of met de yoghurt sliertjes op de tafel te tekenen, haar zacht gejammer als ze heimwee heeft, haar woest gebrul bij elke schram, haar vochtige gezicht tegen zijn hemd, en wat het moeilijkst is, haar raadselachtige, tranenloze verdriet vroeg in de avond, als ze stijf rechtop aan de tafel zit en naar haar handen staart en op zijn vragen slechts haar hoofd schudt. Dan zet Ernst een glas melk binnen haar bereik en wacht op de achtergrond tot ze begint met heen en weer te schuifelen en peinzend lokjes haar om haar vinger te winden, aan haar buik te krabben, en als ze zachtjes zucht en een slok melk neemt is de spanning voorbij.

Zo probeert hij het ook met Regina, hij zet de tv uit, haalt een glaasje frisdrank uit de keuken, gaat tegenover haar zitten en wacht af. Regina wrijft wat langs haar ogen en haalt sidderend adem, haar voeten met de oude sokken trekt ze onder haar lijf, zo heeft nog niemand haar gezien. Mevrouw von Kanter stond erop dat ze nette pantoffeltjes droeg, de hele dag door. Ten slotte neemt ze een slok, beweegt haar tenen, wrijft langs haar lippen en kijkt naar Ernst, die diep in de fauteuil zit weggezonken, en denkt, iemand die troost brengt is altijd alleen. Wat ziet hij er eenzaam uit, denkt Regina en herinnert zich de omhelzingen in de tv-kamer en de magere armen van de dansende dames, terwijl Ernst opeens naar Lili verlangt en haar gladde hals die de geur van vers beslag heeft, en haar haar dat op haar achterhoofd tot kleine knotjes is gevlochten.

Wat scheelt eraan, vraagt hij zachtjes. Ik weet het niet, fluistert Regina, ik ben te oud voor jou. Ernst heeft moeite om niet te lachen, dat klopt toch niet, zegt hij, dat is toch helemaal niet zo. Je bent nooit te oud. Misschien niet alleen voor jou, fluistert ze zo zacht dat Ernst zich voorover moet buigen, misschien überhaupt. Ze kijken elkaar hulpeloos aan.

We moeten elkaar niet meer zien, zegt Regina ten slotte. We moeten hier weg, zegt Ernst bijna tegelijkertijd en staat op, in de herfstvakantie moeten we twee zalige weken hebben, ergens ver weg, alleen wij met z'n tweetjes, lekker samen in de zon.

Deel twee

Een maand later zijn ze in Maleisië.

Met dat kale kereltje, denkt mevrouw von Kanter, waar is dat goed voor, wat moet ze zichzelf bewijzen. Mij houdt ze niet voor de gek, ik heb het heus wel gezien, ik heb oog voor die dingen. Net als Hint en Lukan, triest is dat, tortelduifjes op die leeftijd, geen greintje schaamte in hun lijf. Je kon het al een hele tijd zien aankomen, dat met Hint en Lukan, dat niet van elkaar af kunnen blijven, en met Regina ook, besmettelijk is het, ze kan geen man tegen het lijf lopen zonder dat ze indruk wil maken, die aanstellerige vrolijkheid, hoewel dat alles op haar leeftijd geen pretje meer is, mannen willen dikke tieten en een platte buik, dat geldt ook voor die kaalkop, die zal genoeg van haar hebben nog voor ze goed en wel door de zon is verbrand. Ik zeg haar al jaren dat ze iemand moet zoeken die bij haar past, maar ze moet zo nodig eigenwijs zijn. Dat heeft ze van mij, denkt mevrouw von Kanter, en voelt plotseling dat ze trots is op haar volhardende dochter.

Regina heeft ook voor bezoek gezorgd, zodat mevrouw von Kanter zich op dinsdag niet eenzaam voelt, het zal wel zo'n mens van de kerk zijn, hartelijk bedankt, en dat gaat niet voor niets, het kost een lieve duit, al dat gedoe, ze moest er eigenlijk met de professor over praten. Ze doet haar mond al open als Maik binnenkomt en fluitend de remmen van haar rolstoel losmaakt, ik heb gehoord dat uw dochter op wereldreis gaat, wittebroodsweken, hij geeft haar een knipoog, we zouden meteen wel mee willen gaan, of niet soms? Mevrouw von Kanter maakt zulke heftige kauwbewegingen dat hij wantrouwend wordt en zich over haar heen buigt, het eten komt zo, is alles in orde? Maik ruikt naar sigaretten. Het is helemaal niet in orde. Mevrouw von Kanter is in de steek gelaten.

In de eetzaal kijkt ze rond naar de professor, die moet zich toch net zo voelen, maar hij is druk. Hij heeft zijn aantekeningen bij zich en het eten aan de kant geschoven. Dat verstoort alleen maar, zegt hij hardop, kijkt op zijn notities, knikt kalmerend naar links en naar rechts. Niemand kijkt op. Dat verstoort alleen maar een beetje. Al goed, professor, mompelt iemand, we hebben het begrepen. Maar de professor laat zich niet van de wijs brengen en tikt met zijn lepel tegen zijn glas alsof hij een toost wil uitbrengen. Een tijdelijke verstoring. Of storing om zo te zeggen. Niet onder het eten, zucht mevrouw Hint. Ze legt haar bestek neer en neemt een aardappel tussen duim en wijsvinger, zucht en blaast. Nog wat extra's, dames en heren, roept Maik over de oude hoofden heen en komt met het wagentje langs. Mevrouw von Kanter kijkt hem na en wil haar hand opsteken, de teleurstelling heeft haar hongerig gemaakt, maar Maik heeft haar al de rug toegekeerd.

Meneer Lukan is voorover gezakt, zijn voorhoofd boven de aardappelen. Een haarlok hangt in de jus. Vooruit, zegt Maik en trekt meneer Lukan bij zijn schouders omhoog, tegen de hoofdsteun. Het is een gekkenhuis hier, moppert mevrouw Hint, de aardappels achter haar kiezen maken haar wangen bol. Alleen maar een verstoring, verbetert de professor. Mevrouw Hint draait zich naar Maik om, die aan de tafel ernaast casselerrib uitdeelt, hoor eens, sist ze scherp, Maik, dat houdt geen mens vol. Maik wuift naar mevrouw Hint en knikt bemoedigend, in elke hand heeft hij een bord, waaruit een dichte damp om hem heen slaat. Meneer Lukan zit kaarsrecht tegen de hoofdsteun gedrukt, maar zijn gezicht is opzij gegleden en er loopt jus uit een mondhoek. Mevrouw Hint haalt haar schouders op. Ach, weet u, zegt ze teder tegen meneer Lukan en veegt met een servet zijn lippen af.

Dat dochtertje van Kanter heeft de benen genomen, zegt Gabriële in de personeelskamer en blaast in de slappe koffie die mevrouw Sörens heeft gezet. Ik zou hem wel sterker willen maken, zegt mevrouw Sörens, maar ja, je weet wel. Maleisië, zucht Maik en draait met zijn ogen, met je *lover*. Maik, zegt Gabriële bestraffend en wrijft tevreden in haar handen. Die komt niet meer terug, zegt Maik. Zou ik ook niet doen. Ze is toch aan haar moeder gehecht, zegt Gabriële. Jongelui, zegt mevrouw Sörens vermanend, laat dat kind toch rustig op vakantie gaan. Met het zoontje van de professor, giechelt Gabriële, die passen echt niet bij elkaar, dat wordt water en vuur en dat ook nog bij die Chinezen. Maleisië, zegt Maik.

Wat maakt dat nou uit, zegt Gabriële, gouden draken en kleine bruine meisjes die goed kunnen masseren, dat verzeker ik je en je kunt er van alles heel goedkoop krijgen, horloges vooral. Mijn man is er een keer geweest, met de club, hij bracht een maatpak mee, spotgoedkoop, en een duikershorloge, maar gedoken heeft hij nog nooit, en ze blijft maar giechelen. Nou, van mij mag ze, zegt mevrouw Sörens, ze is altijd zo bleek om haar neus, ze kan best een kleurtje gebruiken, en die jongen ook.

Op de elfde dag al komt er van Ernst een ansichtkaart, die de professor op het nachtkastje tegen een fles sherry zet, niet omdat hij Ernst mist, maar omdat hij bewondering heeft voor de architectuur van de boeddhistische tempel waarover Ernst schrijft, de rituelen bij de gaven en de offers zijn indrukwekkend, aan de voeten van de goden liggen kleine muntjes en zelfs vruchten die in de hitte snel verrotten en overal hangen rode lampions met kwasten die voor het zielenheil van de gever branden. Zoiets heb ik ook nodig, zegt de professor vergenoegd, wie weet hoe het met mijn zielenheil staat en hij zet een cd met gezangen uit de vroege barok op, voor de eerste keer sinds hij naar Haus Ulmen verhuisd is, en zo hard dat buurvrouw Hint ongerust haar hoofd heft en onwillekeurig begint om zich vanuit haar lendenwervels op te richten, want concerten moet je met een rechte rug beluisteren.

Toen ze nog thuis was en mobiel, had ze een abonnement op het symfonieorkest, maar ze maakte er weinig gebruik van omdat de man die naast haar zat, een forse heer met een dikke snor, haar na ieder deel zachtjes vroeg hoe ze het gevonden had en ze daarop geen antwoord wist. Ze had in haar leven al god weet hoeveel antwoorden moeten geven, bij de krant was ze eerst de vrouw bij wie de lezers hun hart konden uitstorten, later heette dat consulente, tot ze van de ene dag op de andere door een pas afgestudeerde psychologe vervangen werd, maar ze tilde daar niet zwaar aan, ze had er toch al genoeg van om de mensen iets over het leven te moeten vertellen, dat ze zelf ook niet begreep. Ze zegde het abonnement op en keek in alle rust naar de Berliner Philharmoniker op de tv, alleen miste ze zo nu en dan het gekietel van die snor aan haar linkeroor.

De muziek dringt ook tot meneer Lukan door, die vroeger niets met muziek kon beginnen, maar nu mogen de klanken naar binnen komen, er zijn geen filters meer, ze draaien langzaam rond als een zwerm muggen in de zomer, de ene laag schuift over de andere, zo vormt zich een prachtig patroon dat steeds maar weer verschuift. Meneer Lukan opent zijn mond, ook door zijn lippen dringen ze naar binnen, door zijn handpalmen, hij blaast ademstoten uit, de klanken tegemoet, maar weldra wordt het hem te veel, hij snuift en probeert zijn hoofd een beetje opzij te draaien, maar de klanken houden hem in hun greep als een dichtgeknepen vuist.

Die oude meneer Lukan, zegt Regina in Maleisië, wat zou die denken, als hij tenminste nog denken kan. En jij moet ophouden met denken, zegt Ernst, meneer Lukan is tienduizend kilometer ver, zij zitten allemaal aan de andere kant van de wereld en wij zijn hier. Hij zegt dat niet voor het eerst, hij zegt het 's morgens al, wanneer ze de sporen van de nacht weggedoucht en de eerste versgeperste sinaasappelsap gedronken hebben, terwijl zwarte aapjes hun snoetjes tegen de panoramaruiten van de eetzaal drukken. Later bij het zwembad zegt hij het weer, waar geruisloze butlers witte handdoeken nabrengen en Regina de wijde mouwen van haar badmantel over zich heen legt, alsof ze het koud heeft en zwijgend over het inktblauwe water staart. Zo blauw kan water toch niet zijn. Of ze er soms iets in doen, mompelt ze, kleurstof of zo. Zuurstof. Goed dat we hier zijn, zegt Ernst en steekt een voet in het ongelooflijke blauw, maar Regina denkt aan haar verraad, ze heeft geen afscheid genomen, niets uitgelegd, omdat ze het niet had kunnen aanzien, het trillen van die lippen, die gekwetste uitdrukking op dat gezicht, dan zou ze niet vertrokken zijn, maar wat heeft het voor zin om weg te gaan, zegt Ernst, als je er niet van loskomt.

Maar Ernst ziet er ook niet bevrijd uit, hij is bleker dan de andere gasten, in zijn knieholten en langs de rand van zijn zwembroek is zijn huid rood geworden en in het felle licht moet hij voortdurend zijn ogen toeknijpen, waardoor hij eruitziet alsof hij niemand vertrouwt. In de hotelshop heeft hij linnen schoenen met rieten zolen gekocht, waarin zijn voeten er als slagschepen uitzien, en vijf kaarten, die hij allemaal al verstuurd heeft, aan zijn dochter vermoedelijk, over wie hij zo zelden praat, waarschijnlijk omdat het hem te veel moeite kost. Die moeite gaat Regina aan het hart, ze kijkt hem aan, terwijl hij bleek en grauw aan de rand van het glanzende water zit, ze hurkt achter hem neer, strijkt met haar handen door zijn bezwete haar en over zijn met sproeten bedekte schouders. Als hij zich behaaglijk tegen haar aan laat zakken geeft ze hem een duw, hij tuimelt in het inktblauwe water en een fontein van glinsterend chloor spuit door de lauwwarme lucht.

Bij hun vrijpartijen in de middag op het koloniale bed, dat heel voornaam op een verhoging staat, trekken ze hun buik niet meer in, ze fluisteren elkaar troetelnaampjes in het oor, hier verstaat geen sterveling Duits, ze mogen rustig roepen en lachen, allemachtig, roept Ernst, we zijn geen kinderen meer, we kunnen toch doen wat we willen. Ondertussen schillen ze ronde, stekelige vruchten waarvan ze de naam niet kunnen onthouden en de middagzon brandt op hun dijen. Met zijn wijsvinger volgt hij de vertakkinkjes op haar sinaasappelhuid, zij kneedt zijn heup, wat mogen we veel, fluistert ze, wie had dat ooit gedacht.

Als ze later op het terras lemmetjessap met ananas drinken en de dikke Engelse kinderen gadeslaan die elkaar met natte handdoeken in de knieholten slaan, zegt Regina, dit hadden we ook in Holland kunnen doen. Nee, zegt Ernst, juist niet.

’s Avonds, terwijl er muggen om hen heen dansen, die niet zoemen en kleiner zijn dan thuis, eten ze scherp gekruide, in bladeren gewikkelde rijst en toosten met een palmwijn die Regina onmiddellijk naar het hoofd stijgt. Laten we nu niet praten, denkt Regina en dat zegt ze ook. Maar ik wil alles van je weten, zegt Ernst, we hebben hier toch alle tijd van de wereld, en hij stelt vragen over haar jeugd, de dingen die ze graag doet en waaraan ze maar moeilijk weerstand kan bieden en of ze al veel mannen heeft gekend. Mijn moeder wilde me voortdurend aan een man helpen, zegt Regina, maar ze vond niemand goed genoeg, ze had grootse plannen met me. Ernst begint zich onbehaaglijk te voelen. Ze zou ook mij niet geschikt vinden, zegt hij zachtjes. Regina trekt met haar vork de bladeren van de klompjes rijst. Hij vraagt haar haastig wat ze mee zou nemen naar een onbewoond eiland. Mijn moeder, antwoordt Regina. Ze krimpen beiden in elkaar, tot nu toe is het toch goed verlopen, Haus Ulmen is aan de andere kant van de wereld, zoals Ernst haar steeds maar weer verzekert. De Maleisische avond moeten ze voor zichzelf bewaren, ze moeten voorkomen dat mevrouw von Kanter en de professor ook aan tafel zitten, anders kunnen ze meteen wel inpakken. En jij, wat zou jij meenemen, vraagt Regina snel, maar dat helpt ook niet, want Ernst zou Lili meenemen, je moet haar leren kennen, zegt hij zachtjes, ik wil dat jullie elkaar leren kennen. En plotseling is de tafel omsingeld, mevrouw von Kanter wacht achter de palmen, de professor zit bij het zwembad en maakt aantekeningen, Lili drukt zich tegen de knieën van Ernst en wil meer water, de rijst is haar te scherp en morgen wil ze zo'n zwart aapje temmen en mee naar huis nemen, het moet in haar bed slapen, al stinkt het ook en sleept het een glanzend rood gezwollen kontje met zich mee.

Ik voel er niets voor, zegt Regina. Laten we het over wat anders hebben. Maar waarover dan, roept Ernst, waar wil je dan over praten, je vertelt immers niks over jezelf. Dan zwijgt hij. Ze draaien woordeloos de wijnglazen tussen hun vingers. Welnu, denkt Regina, ik wist het. Het gaat niet. We kunnen ons boeltje pakken.

U zult zien, de tijd vliegt voorbij, zegt de bezoekster en verzet haar stoel zodat ze in het onwillige gezicht van mevrouw von Kanter kan kijken, het is toch mooi als die jonge mensen wat beleven, hebt u misschien een foto zodat ik een beeld van uw dochter kan krijgen. Mevrouw von Kanter perst haar lippen op elkaar, de bezoekster heeft dun, slecht geknipt haar en felrode wangen en wil de lange, grijze dag wat opvrolijken, zoals ze zegt, en nu heeft ze Regina's kaart opgedoken en zwaait ermee door de lucht, heeft iemand die al een keer aan u voorgelezen. Lieve mama, ik geniet van de eerste vakantie sinds jaren, van het eten, de zon, maar ik denk iedere dag aan je. Dat is tenminste wat, denkt mevrouw von Kanter, terwijl de bezoekster jubelt, u moet toch blij zijn voor uw dochter, denkt u zich eens in wat die voor verhalen heeft als ze terugkomt, en dan begint ze over wat haar eigen dochter haar heeft verteld, die reist het liefst naar crisishaarden in de wereld, om daar aan de slag te gaan, zegt de bezoekster, daar heeft ze het als moeder weliswaar moeilijk mee, maar ze vindt het toch fijn dat haar dochter een doel in haar leven gevonden heeft en zich daar ook voor inzet, de angst om haar kind neemt ze dan maar op de koop toe, of mevrouw von Kanter dat begrijpt.

Mevrouw von Kanter beweegt zich niet, maar dat merkt de bezoekster niet, die intussen voor het raam staat, naar de ruziënde vogels kijkt en over God praat. God houdt vast en zeker zijn hand beschermend boven mensen als haar dochter, die voor anderen op de bres willen staan, daar kun je op vertrouwen, dat voelt ze met grote zekerheid, zoals Hij in donkere uren ook altijd bij je is, wat mevrouw von Kanter ongetwijfeld kan bevestigen.

Mevrouw von Kanter denkt aan haar donkerste uren. Tot

dan toe, dat moest ze toegeven, had ze nauwelijks aandacht voor God gehad, maar van Hem was ook niets te merken in die uren dat ze op de keukenvloer lag, haar ledematen wijd gespreid, iets vochtigs, stinkends op haar gezicht, haar hart dat tekeer leek te gaan achter haar ogen die ze niet meer dicht kon doen, wijd opengesperd staarden ze naar de zwarte voegen in de smetteloze tegelvloer. Kristalhelder en met ongelooflijke snelheid vlogen de gedachten door haar hoofd, God was er niet bij en ook niets uit het verleden, het waren nieuwe, naakte gedachten.

Ze heeft niet gemerkt dat de bezoekster haar relaas heeft beëindigd en achter haar is gaan staan, en ze krimpt ineen als ze een hand op haar hoofd voelt. God zegene u, zegt de bezoekster, en geve u kracht. Mevrouw von Kanter probeert de hand van zich af te schudden, maar de bezoekster geeft haar een tikje in haar nek en wuift haar ten afscheid toe, het is een schalks gebaar en er zit iets van triomf in.

Ernst en Regina hebben de rest van de avond doorgebracht met het drinken van palmwijn en koffie met rum en elkaar op hun verhoging in de armen gesloten. Vroeg in de volgende ochtend gaat Ernst in z'n eentje weg en laat zich in een taxi naar de grote tempel brengen. De gouden koepel, die Ernst graag wil zien, glanst al van verre tussen de half afgebouwde flats en ruïnes van brokken gewapend beton waarvoor de taxichauffeur zich met een stroom van woorden verontschuldigt, *not good,* zegt hij, *no money.* Langzaam rijden ze langs gaarkeukens en hutten van golfplaten naar de bochtige trap, waarbij bedelaars en kinderen zich ophouden en zich om elke taxi verdringen. Nu hij er vlakbij komt ziet Ernst dat ook de koepel van beton is, dat onder het goud wegbrokkelt, maar daar neemt niemand aanstoot aan, luid pratend haasten de bezoekers zich naar boven, en strooien munten links en rechts in de uitgestoken handen. Een paar vallen ernaast en worden, voor de gestalten er moeizaam naar kunnen bukken, door lenige kinderen tussen in verband gehulde voeten en opgezwollen benen weggegrist. Ernst aarzelt om te geven, dit minzame uitdelen vindt hij pijnlijk, tot hij achter zich een gesis hoort. Een bedelaar met een bepleisterd oog en een etterende neus schudt vloekend zijn vuist achter hem, een verwensing, een boze toverspreuk, snel haalt Ernst wat geld uit zijn zak, *sorry, I am sorry*, en maakt kalmerende gebaren. De bedelaar knijpt zijn hand met het geld dicht en schudt dreigend zijn hoofd.

Ernst rent, terwijl hij een regen van munten om zich heen strooit, bezorgd naar boven, hij moet zich snel van de vloek bevrijden en het kwaad afwenden. Overal verdringen zich mensen, het wordt maar niet stil, ze maken foto's van de gouden kistjes en de ingewikkelde dakconstructies, sommigen eten, anderen bidden. Achter een standbeeld met een roodachtige gloed en een dreigende grijns stuit Ernst op een souvenirkraampje met piepkleine boeddha's en ansichtkaarten. Lange wierookstaafjes steken uit de wanden, guirlandes en kettingen met glazen kralen, voor de godenbeeldjes liggen bruinachtige stukken fruit en gesmolten kaarsen opgestapeld.

Ernst weet niet welke goed en welke boos zijn en tot wie hij zich moet wenden. Hij kan niet tegen de klamme, zoetige lucht, vouwt zijn handen en mompelt een gebed, maar wordt in zijn rug gestoten door een groep bezoekers die op sokken binnendringt. Misschien had hij zijn schoenen uit moeten trekken. Met angst in het hart zoekt hij naar de uitgang, maar komt op een betonnen binnenplaats terecht met een slijmerige vijver. Eindelijk is het stil. Ernst leunt tegen de balustrade en staart uitgeput in het groenige water.

Plotseling ziet hij de schildpadden. Eerst nog maar een paar koppen, die als stokken in de lucht steken, dan plotseling overal ruggen vol spleten en kloven, die langzaam tegen elkaar botsen, schubbige poten, een voortdurend, vrijwel geruisloos gekrabbel, ze raken elkaar, klimmen onverstoorbaar over elkaar heen, kleine kruipen over grote, sommige zitten vast, schuin tussen schilden geklemd, ze spartelen met hun poten in de lucht. Het moeten er honderden zijn. Niemand ziet ze. Hij staat alleen aan de balustrade en staart naar de bellen die langzaam opborrelen uit het slijk.

Vlak onder hem botst een reusachtig, met mos bedekt dier tegen de rand van de vijver en probeert tegen de muur op te klimmen. Ernst hoort het droge schaven van de poten tegen het beton en ziet de starre, kringvormige ogen. Beetje bij beetje richt de schildpad zich op, werkt zich omhoog tot hij bijna rechtop staat, Ernst ziet de harde kop vlak onder zich. Het dier leunt tegen het beton, nog twee, drie pogingen, het wankelt al, helt langzaam achterover, terwijl de voorpoten naar steun zoekend door de lucht maaien en valt dan eensklaps ruggelings weer in de vijver. Het kan zich niet omdraaien, hij ziet de langzaam heen en weer gaande kop onder water, de bewegingen van de poten, een hulpeloos zwaaien dat steeds trager wordt. Ernst sluit zijn ogen. Dan kijkt hij om zich heen, alsof hij naar hulp zoekt, maar hij is nog steeds alleen.

De bezoekster vertelt de professor over haar dochter die in een oorlogsgebied is. Hij heeft haar beleefd ontvangen, zo is hij, en schenkt juist het tweede glas whiskey voor haar in. Hij weet niet wie ze is, ze heeft zich niet voorgesteld, maar beweert dat ze de lange middag een beetje voor hem wil verkorten. Het is de professor nog niet opgevallen dat de middag zo lang duurt, hij heeft veeleer het gevoel dat het ontbijt net achter de rug is, maar omdat hij met zijn werk zo goed gevorderd is en een flink aantal bladzijden van zijn notitieboek heeft volgeschreven, heeft hij geen bezwaar tegen een kleine onderbreking. De dame nipt aan de whiskey en vertelt over de oorlog waarover haar dochter vertelt. Ik ben in 1927 geboren, zegt de professor bereidwillig om ook een duit in het zakje te doen, maar dat interesseert de dame niet zo erg, geen water in de verblijven, oude paardendekens, kunt u zich dat voorstellen, zegt ze, en alles onder de luizen natuurlijk, mijn dochter heeft haar prachtige haar moeten laten afscheren, vreselijk, dat moet u van me aannemen. Haar groeit weert aan, zegt de professor en drinkt zijn glas leeg, en dan schiet het hem te binnen dat zijn zoon ook in een oorlogsgebied is, of tenminste ergens waar een crisis heerst of in elk geval in zo'n soort land dat hier heel ver vandaan ligt.

De gedachte overvalt hem plotseling, hij wordt heel onrustig en schenkt zichzelf nog eens bij, terwijl de dame over militaire transporten en de jonge hospitaalsoldaat vertelt die haar dochter heeft leren kennen, maar ja een oorlog is niet gunstig voor de liefde, die kan niet tot bloei komen, maar haar dochter wil dat ook niet, die vindt zichzelf niet belangrijk. Mijn zoon is in, mompelt de professor en zoekt naar het woord, daar in, in, Holland is het niet en Ierland ook niet, ze leeft voor de ander, zegt de bezoekster, dat kom je tegenwoordig haast niet meer tegen, dat weten we allemaal wel, haar dochter heeft het, dat mag ze in alle bescheidenheid wel zeggen, van haar moeder.

De professor snapt er niets van, welke moeder, zegt hij en spoelt zijn droge mond met whiskey, niet Ierland, Spanje ook niet, hij gaat alle landen langs die hem te binnen willen schieten, hij komt niet erg ver, er zijn toch meer landen, roept hij. De bezoekster bemerkt nu zijn opwinding en wil hem kalmeren, honderden, zegt ze, of zelfs duizenden, je zou het moeten opzoeken. Dat maakt de professor nog ongeruster, hoe moet hij dan het juiste vinden, het land waarin zijn zoon nu woont, de whiskey heeft zijn hersens beneveld, hij mag niets meer drinken. Hij grist het glas uit de hand van de bezoekster en giet de whiskey op de vloerbedekking. Het is uw schuld, zegt hij heftig, hij weet het pertinent zeker, men heeft hem de dame op zijn dak gestuurd om hem dronken te maken zodat hij niet op het land kan komen. De bezoekster deinst achteruit en stelt voor om samen te bidden.

Het land, roept de professor en zijn stem wordt steeds luider, welk land. De bezoekster gaat achterwaarts naar de deur, Litouwen, suggereert ze, Denemarken, Ethiopië, met haar linkerhand zoekt ze naar de klink. Nee, schreeuwt de professor, nee, nee, u wilt ervandoor gaan, lafaard, u moet me het land zeggen, en hij volgt haar naar de deur en pakt haar bij de armen, zegt u het mij. De bezoekster is bleek geworden en stribbelt tegen, maar ze kan zijn handen niet wegduwen die haar schouders omknellen, Egypte, Australië, China.

Daar stoot van achteren de deur in haar rug. Maik steekt zijn hoofd om de hoek, alles in orde, professor? Snel dringt de bezoekster langs hem heen, de professor grijpt in het luchtledige, met uitgestoken armen staat hij daar en zegt niets meer, een bittere wanhoop overweldigt hem omdat hij zijn zoon niet meer zal vinden. Maik ziet de tranen in zijn ogen. Een whiskeylucht stijgt op uit de vloerbedekking. Laten we eerst maar even gaan zitten, professor, mompelt Maik en brengt hem naar de leunstoel waar hij zich met het volle gewicht van zijn verdriet in laat vallen, terwijl hij voortdurend in zichzelf fluistert. Maik begrijpt er niets van. Hij gaat voor de professor op zijn hurken zitten en vraagt, kan ik u ergens mee helpen? De professor houdt op met fluisteren, schraapt zijn keel en zegt met zijn oude, heldere stem, je moet me aan dat land helpen. Maleisië, zegt Maik. Ze knikken elkaar toe. Dan sluit de professor zijn ogen en verlaat Maik gaat op zijn tenen de kamer.

Als Ernst terugkomt, nat van het zweet tussen zijn schouderbladen en met de trage bewegingen van de stervende schildpad voor ogen, zit Regina bij het raam. Door het lawaai van de airconditioning hoort ze hem niet binnenkomen. Hij staat in de deuropening, de oerlelijke, gevlochten sleutelhanger in zijn hand en kijkt naar haar vermoeide schouders. Als ze zich nu naar mij omdraait hebben we nog een kans, denkt hij, als ze voelt dat ik er ben, als ze naar me toe komt en over mijn ogen streelt. Dat zou de redding zijn.

Maar Regina kromt slechts haar vingers en buigt zich over haar nagels, dan zucht ze en beweegt haar hoofd langzaam heen en weer alsof het niet goed op haar nek zit. Ernst draait zich om en gaat weer naar buiten, de gang in. Zachtjes doet hij de deur achter zich dicht.

De volgende dagen geen uitspattingen meer. Weliswaar geven ze elkaar bij het ontbijt het broodmandje aan, de schalen met rijst, de misosoep en de pannetjes met sausen en gelei, maar daarna houdt Regina zich aan het strand met bleke zandkrabben bezig, die zich met ongelooflijke snelheid zijwaarts voortbewegen. Onder een kromgegroeide palm ligt steeds een vrouw in een glanzend blauwe sarong. Ze glimt van de zonnebrandolie en strekt lenig haar armen naar achteren uit, maar Regina kijkt niet naar haar gestrekte lichaam en wilde haardos, maar naar de knuffelzebra die naast haar op een uitklapbaar strandkrukje zit. Het beest is van badstof, zo groot als een bloemenvaas en heeft roze zolen. Iedere ochtend plaatst de van de verse olie glimmende vrouw de zebra tegen een stapel tijdschriften, geeft hem haar zonnebril als neksteun en zet hem rechtop, tot zijn snuit naar de zee wijst. Soms steekt ze ook nog een vuurrode hibiscusbloem achter zijn badstoffen oortje. Dan knikt ze tevreden, maakt een foto en laat zich in haar ligstoel zakken. De andere gasten hebben de zebra ook opgemerkt, iedereen kijkt meteen of hij op zijn plaats zit en de kelners brengen hem soms kleine schijfjes mango en maken een buiging voor zijn eigenares. Regina loopt zo dicht langs de zebra dat ze zijn starre ronde oogjes en de netjes gekamde ponyhaartjes kan zien, die de vrouw elke morgen over zijn voorhoofd schikt.

Ernst blijft bij het zwembad, drinkt anisette en wist het

zweet met vochtige badhanddoeken af, die elk uur door nieuwe worden vervangen. 's Middags eten ze kleurige salades en kijken naar de kelners die groepsgewijs in de schaduw staan en kauwend over het water staren. Een van hen harkt kleine heuveltjes in het zand, een ander vouwt de badhanddoeken. Die kunnen ons niet luchten, zegt Ernst op een keer. Dat geloof ik niet, zegt Regina en laat een hangmat spannen, die in de vochtige warmte zo slap hangt, dat ze met haar achterste het zand raakt. Ernst probeert te lezen.

Meneer Lukan houdt zijn ogen strak op de vijl gericht waarmee mevrouw Hint geduldig zijn nagels bewerkt. Het geluid bezorgt hem hoofdpijn en het voortdurende gemompel van mevrouw Hint maakt het er ook al niet beter op, dat doet anders niemand, er komen toch scheurtjes in, daar moeten ze toch een beetje op letten, wees maar niet bang, meneer Lukan, ik doe dat voortaan vaker, dan raakt u er wel aan gewend. Ze let sinds een paar dagen ook op de keuze van de tv-programma's, lukraak aanzetten dat is toch niks, waar kijkt u graag naar, ik zoek wat moois voor u uit, en ook op de regelmatige ventilatie van de kamer, daar moet toch iemand voor zorgen, speciaal voor al die dingen waarvoor Maik en Gabriële geen tijd hebben, dat kun je ze ook niet kwalijk nemen, ze doen wat ze kunnen, maar ik kan nog wat meer, zegt ze met een ondeugend lachje en gooit de verandadeur open.

De herfstwind slaat meneer Lukan in de nek en jaagt de gordijnen naar buiten, hij ziet het gewapper bij het raam en haalt diep adem. Mevrouw Hint hoort het, omdat ze zo dicht bij hem zit, soms legt ze zelfs haar hand op zijn keel om de vibraties te voelen, dat vindt meneer Lukan lekker, hij neuriet dan zachtjes, strekt zijn hals en drukt die nog wat steviger tegen haar vingers. Nou nou, wat gebeurt hier, plaagt Gabriële, als ze die twee zo ontdekt, jullie tortelduifjes, maar mevrouw Hint luistert gewoon niet, dat hoeft ze niet, ze doet wat ze wil en ze wil meneer Lukan, nog meer dan ze zelf had gedacht. In de badkamer van meneer Lukan heeft ze naast zijn luiers haar eigen vochtige doekjes klaargelegd, voor zichzelf en voor het geval hem een ongelukje overkomt, dat vindt ze niet erg, ook de stank niet die zich verspreidt als meneer Lukan rood in het gezicht wordt, zijn lippen op elkaar perst en zachtjes snuift. Vroeger was ik daar heel pietluttig in, vertelt ze hem lachend, vooral als er mannen in huis waren, lavendelgeur en niets anders.

Dat ze nooit mannen in huis had, vertelt ze niet, want dat is ze vergeten, maar ze herinnert zich de snorrenbaard in de opera nog wel, en de heren die haar in haar mantel hielpen, en de hoofdredacteur van het krantje die wel eens 's avonds in haar kantoortje kwam als ze haar vragenrubriek in elkaar flanste en er zelf ook wat bedacht omdat er niet genoeg brieven waren, en die haar dan tegen de muur drong, het streelde haar ijdelheid, die warme tong van de redacteur, die druk tegen haar lendenen, zo is haar herinnering tenminste, die vastberaden vingers met eelt aan de topjes, dat kwam door het schrijven.

Een tijdlang heeft ze zich aan hen gelaafd, aan de mannen, maar toen het er later minder werden, de vingers van de redacteur andere borsten vonden, de blikken langs haar heen gleden en verder zweefden, toen vond ze het ook goed, zo was haar leven en ze hoefde geen overhemden te strijken en haar eigen blouses ook niet, want ze had geld genoeg voor de wasserij. Geld genoeg ja, zelfs voor dit gekkenhuis, waar ze na dat ogenblik van zwakheid en dat vaak betreurde telefoontje beland is en waar ze nu voor een frisse wind zorgt. Voordat ze naar haar buurman, meneer Lukan gaat, verzorgt ze eerst nog haar haar. Gabriële wil dat ze elke keer belt voor ze opstaat, maar dat gaat niet, dan zou ze geen vrijheid meer hebben en die heeft ze nodig nu meneer Lukan op haar wacht.

’s Avonds, als de hemel in roze sluiers uiteenvalt, als de gasten in lotusbloesem gebaad hebben en hun roodverbrande huid onder nieuwe linnen hemden hebben verstopt, als pas gekochte sieraden de oorlelletjes naar beneden trekken en de kelners de eerste servetten klaarleggen, oogverblindend wit en door vijftien meisjes in de wasserij gestreken en gesteven, dan komt er een moment dat zelfs de airconditioning doet zwijgen. De echtelieden staken hun ruzies, de stropdassen nog ongeknoopt tussen de vingers, de handen in het half geföhnde haar, en richten hun blikken naar het lieflijke licht. De barpianist, die aan het eerste, al wel duizend keer gespeelde wijsje wil beginnen, de zijdeschilderes, die dag aan dag met rijke dames glinsterende zeeën schildert en in haar brandende ogen wrijft, de masseuse met de sigaret tussen haar lippen en de vermoeide vingers, de vrouw in haar sarong en haar pas gekamde zebra, allen aarzelen even, zoals iedere avond rond deze tijd, die bevend boven hen lijkt stil te staan, één ogenblik lang slechts vol troost en genade.

Regina gaat rechtop zitten, het licht absorbeert haar oogrimpeltjes en gesprongen adertjes en geeft de buik van Ernst een goudfluwelen tint. Ze vraagt wat hij in de tempel gedaan heeft. Ach, zegt Ernst, die is helemaal van beton. Heb je voor ons gebeden, vraagt Regina. Dat kon niet, zegt Ernst, er was te veel lawaai. Ik ben met mama in de kathedraal van Wells geweest, zegt Regina. Daar heb ik van mijn zakgeld een kaars gekocht en neergezet en toen gebeden. Ze zwijgt. Wat heb je gebeden, vraagt Ernst en buigt zich naar haar toe. Regina aarzelt, dan zegt ze, ik heb gebeden dat ze dood zou gaan. Ja echt. Dat ze levenloos zou omvallen. Ter plekke. Ze kijken elkaar aan. Begrijp je dat, vraagt Regina. Je bent niet verhoord, zegt Ernst zachtjes. Ze steken tegelijkertijd hun handen uit en houden elkaar aan hun vingers vast. Er is iets in de tempel gebeurd, fluistert Regina. Nee nee, zegt Ernst, er was niets. Dat is het hem juist.

Overdag schildert Regina glinsterende golven op zijde, laat gezichtsmaskers aanbrengen van kokosroom en zwemt steeds verder de zee in, terwijl Ernst onder de vingers van de masseuse zwak en sentimenteel wordt. Naderhand pept hij zich weer op met koude douches bij het zwembad en wandelingen naar de vlindertuin en werkt en passant ook twee nieuwe projecten uit voor naschoolse begeleiding. Ik vind het niet erg dat je Lili niet wilt leren kennen, zegt hij tegen Regina, als ze voor het eten de glazen heffen, terwijl de kelners hen gadeslaan, maar daaraan zijn ze ondertussen wel gewend. En ik vind het niet erg dat je aan haar blijft denken, antwoordt Regina. We moeten niet over vroeger praten, zegt Ernst met nadruk, en zoals iedere avond antwoordt Regina dat ze helemaal niet moeten praten.

Maar een beetje doen ze het toch, terwijl ze eten, scherp gekruide bolletjes groente en vlees in kokosmelk en halfbevroren vruchten, Regina vertelt van de zebra, die vandaag in het zand gevallen is en door twee bedienden afgeklopt en gekamd werd. Ernst heeft het over de vingers van de masseuse tussen zijn ribben, over de grimmige snoetjes van de zwarte aapjes die van de anisette van de gasten proeven, tot een speciaal daarvoor aangestelde bediende ze wegjaagt, Regina op haar beurt over de twee Engelsen die haar aan het strand hebben nagekeken, ze heeft hun blikken gevoeld, maar zich niet omgedraaid, want ze is hier immers met Ernst. Ze knikken elkaar toe. In elk geval kunnen we ons hier ontspannen, zegt Ernst. Misschien moeten we maar vakantievriendjes zijn, zegt Regina. Ze lachen omdat ze het samen eens zijn.

In de nacht gaat alles vlot, de zonverbrande, goed gevoede en gemasseerde lichamen verlangen naar elkaar, dit tenminste kan geen mens ze afnemen, ze likken, sjorren en drukken, hebben het zelfs een keer onder de douche geprobeerd, maar dat kostte te veel moeite, ze hielden er met trillende knieën mee op en konden er zelfs om lachen. We zijn vrij, zei Ernst naderhand triomfantelijk, alsof ze voor een examen geslaagd waren. Dat was op de voorlaatste avond, ze hadden eerst een hele, ongelooflijk goedkope fles champagne leeggedronken en raakten de zurige smaak niet voor de volgende ochtend kwijt, ook al poetste Ernst tot driemaal toe zijn tanden.

Voordat ze naar het vliegveld worden gebracht zitten ze nog één keer aan het strand en proberen de gedachten aan de komende dinsdag in een ander werelddeel van zich af te zetten. Ik neem vrij, zegt Regina, ik wil sowieso vaker vrij nemen, ik zal niet steeds weer komen opdraven, beter voor mezelf opkomen. En hoe zul je voor ons opkomen, vraagt Ernst. Regina keert zich naar hem toe en plukt een stukje zonverbrande huid van zijn neus. We zouden toch eerlijk zijn, zegt ze. Ernst legt zijn arm om haar heen, dat gebaar heeft hij elke avond geoefend, wanneer ze van de eetzaal door de met fakkels verlichte gangen naar hun kamer gingen. Regina's schouders zijn door het goede eten ronder geworden. Ik heb nog geen cadeaus voor thuis, zegt hij en op dat moment horen ze een schel geschreeuw vanuit het water. Een van de Engelsen slaat met zijn armen op de golven en zwaait in de lucht, dan legt hij zijn hoofd in zijn nek en jankt als een wolf door de lauwwarme morgen.

Meteen komen gasten en bedienden van alle kanten aanlopen, de bedienden trekken hun sokken uit, maar de Engelsman komt al door het water aanstormen en laat zich jankend op het strand vallen. In vredesnaam, roept Regina, wat heeft hij. Met zand bedekt is hij weer overeind gevlogen, draait om zijn as en slaat op zijn buik en rug, *jellyfish*, schreeuwt hij steeds weer, jellyfish. De gasten deinzen terug wanneer bedienden met een van de schalen komen aanrennen, waarin 's avonds het Turkse brood wordt rondgebracht, er zit een stroperige, geelachtige brij in, waarmee de trillende Engelsman meteen wordt ingesmeerd, de een houdt hem vast, de andere plakt met beide handen klodders brij op zijn rug, tussen zijn benen, onder zijn oksels. Zijn benen trappelen nog, zijn zwembroek is half van zijn achterste gegleden. *Good for jellyfish sting,* zeggen de bedienden glimlachend en smeren de laatste handvol brij op zijn billen. Een grijnslach verschijnt op de gezichten van de toeschouwers. Regina neemt Ernst bij de hand en ze gaan snel naar hun kamer, waar de koffers al gepakt staan.

Op een woensdag laat de directeur mevrouw Hint bij zich komen. Ze moet daarvoor naar het kantoorgedeelte, waarin ze nog maar één keer geweest is, bij haar inschrijving namelijk, en dat is jaren geleden. Daar is alles crèmekleurig, heel beschaafd, denkt mevrouw Hint en gaat kalmpjes in een zacht verende, verchroomde stoel zitten, oog in oog met de directeur. Mevrouw Hint, zegt de directeur, die zich maar zelden laat zien, daarom bekijkt mevrouw Hint alles aan de vrouw uitvoerig, haar parelsnoer, de bijpassende oorbellen, het kleurtje in haar haar, het doet ons natuurlijk plezier dat u hier zo goed ingeburgerd bent. Ik ben ook al vier jaar hier, zegt mevrouw Hint, nee, zes. Zo is het, mevrouw Hint, zegt de directeur, en het is heel belangrijk om goede contacten met de andere bewoners op te bouwen, wij stimuleren dat ook, zoals u weet.

Mevrouw Hint knikt en denkt in stilte tevreden aan meneer Lukan. Dan zegt de directeur, we hebben evenwel gehoord dat u zich zo intensief met uw medebewoners bezighoudt, dat uw eigen gezondheid in gevaar zou kunnen komen. Nu schrikt mevrouw Hint een beetje, ze begrijpt ook niet precies wat de directeur bedoelt. Hoezo, zegt ze. U moet 's nachts in uw eigen bed liggen, begrijpt u, zegt de directeur en buigt zich voorover, tot haar borsten op het bureaublad liggen. Nu begint mevrouw Hint zich toch op te winden, ze willen haar de bezoekjes verbieden, nu snapt ze het, maar ze besluit om maar niets te zeggen. In plaats daarvan kijkt ze naar haar handen, tot de directeur opstaat, haar bewondering uitspreekt voor de prachtige herfstkleuren buiten, mevrouw Hint een mooie adventstijd wenst en afscheid neemt met een slappe handdruk.

Gabriële staat voor de directiekamer te wachten om haar

terug te brengen. Waar had de chef het over, vraagt ze meteen, die heeft de zaken in de hand, zeg ik altijd. Opeens krijgt mevrouw Hint het vermoeden dat Gabriële haar bezoekjes aan meneer Lukan wel eens aan de directeur kon hebben verklikt en ze blijft staan. Kom nou maar, mevrouw Hintje, zegt Gabriële en trekt haar aan een elleboog mee, voorwaarts mars. Ik blijf hem bezoeken, brengt mevrouw Hint uit, dat is mijn goed recht. Anders ga ik hier weg. Tenslotte ben ik hier vrijwillig gekomen, dan kan ik ook weer weggaan, of niet soms? Nou, nou, mompelt Gabriële en kijkt haar niet aan, rustig maar, rustig. Meneer Lukan weet sowieso van toeten noch blazen.

Mevrouw Hint haalt diep adem en voelt opeens een pijn in haar borst, die zich snel en brandend verspreidt. Dat is niet waar, zegt ze luid, dan roept ze nog harder en stampt daarbij met haar voet op de vloer, zo krachtig als ze maar kan, dat is helemaal niet waar, hoe kun je zoiets zeggen! Niemand hoort haar stampen omdat de crèmekleurige vloerbedekking alle geluiden dempt, maar dat deert haar niet, je liegt, schreeuwt ze, ik doe wat ik wil, of is het hier soms een gevangenis en wil je me opsluiten.

Gabriële draait zich snel om, er gaan al twee deuren in de kantoorafdeling open, de geur van verse koffie komt naar buiten. Ze probeert mevrouw Hint achter de geluiddichte glazen deur te duwen, zodat in elk geval de directeur niet gestoord wordt, maar mevrouw Hint ontdekt nieuwe, koppige krachten in zichzelf, raak me niet aan, schreeuwt ze, ik wil niks meer met jou te maken hebben, helemaal niets meer, ik ga hier weer weg. Gabriële, die het goudblonde haar van de directeur achter de spleet van de deur ziet glanzen, neemt haar toevlucht tot vanouds beproefde middelen. Ja ja, mevrouw Hint, mompelt ze, dat moet u doen, goed idee, en nu voorwaarts mars.

Uitgeput zet mevrouw Hint zich in beweging. Ze zal het tehuis verlaten. Ze zal een mooie parterrewoning huren of iets met een lift voor meneer Lukan, er is geld genoeg, misschien zal ze zo nu en dan nog een krantenartikel schrijven, dat kan ze nog best, dat verleer je niet en ze heeft immers nog contacten. Dan komt Maik de hoek om, zijn armen vol medicijnen. Maik, roept mevrouw Hint en wringt zich los, en als Maik rinkelend op haar toe komt, wat gebeurt hier, dan barst ze plotseling in tranen uit.

Ik ga hier weg, wil ze zeggen, maar haar stem weigert dienst en in plaats daarvan snikt ze met een dunne meisjesstem die de hare niet is, ik wil naar bed. Nu meteen.

Maik haalt, nadat hij mevrouw Hint een uur voor het avondeten naar bed heeft gebracht, een kop koffie bij mevrouw Sörens en gaat naar buiten naar de bank tussen de rododendrons, die de vereniging van vrienden van Haus Ulmen heeft geschonken. Het schemert al. Vanaf de bank ziet hij de ramen in de voorgevel van de westelijke vleugel, de kamers op de benedenverdieping, waarvoor hij verantwoordelijk is, de lichten in de tv-ruimte, waar de knutselkring juist bezig is om herfstbladeren aan snoeren te rijgen. Hij ziet lampen aan- en uitgaan en gebogen gestalten in de gangen. Iemand trekt de gordijnen in de personeelskamer dicht.

Maik probeert om niet aan mevrouw Hint en het schelle gejammer te denken dat maar niet wilde ophouden. Hij beweegt de koffie in zijn mond heen en weer en speelt met zijn mobieltje in zijn jaszak, vanavond naar de bios gaan en dansen, denkt hij, iets waanzinnigs doen, wie zal ik opbellen, maar dan duikt het beeld van de huilende vrouw weer op, haar tengere lichaam onder de dekens, alleen haar hoofd keek er bovenuit, vochtige haren boven haar ogen, hete, natte wangen, als een kind, denkt Maik, die niet van kinderen houdt en ze ook niet wil hebben omdat hij dan 's nachts niet meer kan gaan dansen, en hij maakt al genoeg billen schoon, maar dit oude snikkende kind in de kussens, dat blijft maar in zijn hoofd spoken, wat hebben ze met haar gedaan, denkt hij. Hij heeft het Gabriële gevraagd, maar die wimpelde hem af, gedaan, gedaan, snoof ze, wat bedoel je daarmee, ze was gewoon eigenwijs. Maar mevrouw Hint zag er helemaal niet eigenwijs uit, Maik is nog even bij haar gaan zitten en heeft haar hand vastgehouden, die onrustig plukkend over de deken heen en weer ging, en heeft nog eens zachtjes gevraagd wat er aan de hand was, maar ze deed alleen maar haar ogen dicht.

Wanneer hij tijd heeft vraagt hij wel eens wat, nu wat minder dan vroeger trouwens, hij vraagt naar beroepen en diploma's en foto's aan de muur. Bent u dat, heeft hij mevrouw von Kanter gevraagd en het portretje met de goudkleurige lijst onder de lamp gehouden, waarop een fiere schoonheid met gebogen wenkbrauwen en een lange hals stond, een harige sjaal er losjes omheen. Mevrouw von Kanter knikte, maar niet trots, geplaagd veeleer en Maik hing de foto maar weer snel aan de muur. Hij heeft ook al aan de professor gevraagd wat die in de oorlog gedaan heeft. Welke oorlog bedoel je precies, heeft de professor aan hem gevraagd. Maik wist ook niet goed welke oorlog hij bedoelde, er zijn er zo veel geweest de laatste honderd jaar, dus ging hij er maar niet verder op in. Laat ze toch met rust, zei Gabriële, dat interesseert toch geen mens meer. Waarom hebben ze dan foto's aan de muur, werpt Maik tegen, om af te stoffen, snauwt Gabriële terug. Bemoei je er niet mee.

Wanneer hij in de nachtdienst naar de oude gezichten kijkt, in slaap met geopende lippen, de ingevallen wangen, slap zonder gebit, de stille vingers, dan ziet hij de dood. Hij blijft staan en bekijkt de dood, soms wil hij hem groeten, naar hem knikken, ere wie ere toekomt. Maar bij het kleinste hoestje trekt hij zich terug, geeft de gezichten weer over aan de slaap en houdt wat hij gezien heeft voor zich.

Hij kan ook moeilijk tegen de professor of mevrouw von Kanter of wie dan ook zeggen dat hij de dood in hun gezicht ziet. Hij zegt het ook niet tegen zijn vrienden. Z'n vriendin heeft het ooit aan de geur gemerkt, die zoetige geur van het tehuis, die Maik met zich meeneemt en thuisgekomen direct weer wegdoucht, maar op die dag had ze hem voor het huis opgewacht om hem met champagne te verrassen en deinsde ze terug voordat hun lippen elkaar vonden, waar ruik je naar. Een dergelijke geur hangt in de kamer, als het sterven begint, voor het ontbijt nog niets, dan is hij er plotseling, ze kennen hem allemaal, zelfs Gabriële, die het raam opengooit en hem direct weer kwijt wil, maar hij laat zich niet verdrijven en na een of twee dagen komt hij dan ook, de dood.

Vanavond, denkt Maik, niet naar de bios, meteen dansen, tenslotte heb ik ook recht op een pleziertje, dat is toch niet verboden, ook al is zijn vriendin weer weg, ze vindt hem te saai, hij lacht zelden of nooit en als hij het een keer doet, dan stilletjes in zichzelf, ze vindt dat een beetje eng, en praten doen ze ook niet, hij vraagt alleen steeds wat er aan de hand is, alsof ze ziek zou zijn, ze is toch geen oud besje, hij hoeft haar niet te betuttelen. Wees toch blij dat ik voor je zorg, heeft Maik gezegd. Ik heb geen luiers nodig, heeft zijn vriendin geroepen, ik wil wat beleven, reizen, plezier hebben, begrijp je. Natuurlijk snapt Maik dat en hij stelt Maleisië voor. En, schampert zijn vriendin, waar moet het geld voor zo'n fraai, exotisch reisje vandaan komen, je verdient immers niks. Dat klopt niet, Maik verdient weinig, maar genoeg om 's avonds uit te gaan en deze avond gaat hij dansen.

De directeur, denkt Maik, die heeft het goed, die zit daarboven op de commandobrug, zonder luiers of zweet of bloed, je hoort daarboven het geschreeuw niet eens, alles is er geluiddicht. Hij verlangt soms naar een geluiddichte schedel, zoiets moest je achteraf nog kunnen aanbrengen, denkt hij, dat krijg je bij je geboorte niet mee, daarbuiten in de wereld heb je scherpe oren en ogen nodig, zodat niemand iets van je wegpikt, maar hierbinnen zou het goed zijn als je niet alles hoefde te horen of zien, of desnoods gedempt, zoals zij daarboven. Maar met zo'n isolatie in zijn hoofd zou Maik niet meer degene zijn die iedereen in Haus Ulmen nodig heeft, een zesde zintuig heeft hij, hij merkt gewoon alles, die jongeman, op hem kun je rekenen en dat weet de directeur ook.

Er stond voor Maik een afspraak genoteerd. Op de tiende dag na het zomerfeest moest hij bij de directeur komen. Die wilde hem over de planning informeren, want de leiding van Haus Ulmen is heel open, het personeel hoeft niet in het duister te tasten en zeker niet als het over gunstige ontwikkelingen gaat.

We zijn heel tevreden over je werk hier bij ons, Maik, stelde de directeur vast en leunde achterover in de lichaamsvriendelijke kuipstoel, de oude mensen zijn op je gesteld en je hebt een prijzenswaardige vertrouwensrelatie opgebouwd. Maik schoof iets naar achteren op de bezoekersstoel. In de middagpauze was hij snel naar buiten gegaan om drie rondjes door het park te joggen en zo meer lucht in zijn longen te krijgen. Er zat nog een randje modder aan zijn schoenen en daarmee wilde hij niet tegen het crèmekleurige bureau van de directeur stoten. Die boog zich naar voren, Maik, die sinds hij in Haus Ulmen werkte een extreem gevoelige neus had gekregen, rook een Sanddorndagcrème en iets wat aan boter deed denken, het kon ook het eigeel zijn van het ontbijt. Op het goed verzorgde voorhoofd van de directeur lag een haarlokje in een ondeugend krulletje, dat was niet natuurlijk, dat had ze met opzet zo gedaan. Maik keek naar het lokje terwijl de directeur uitvoerig, maar beschaafd haar keel schraapte, dat deed ze altijd als ze een uitgebreid verhaal moest houden. En toen kwam ze eindelijk met haar aanbod.

Wij wilden je iets voorstellen. Maik keek snel over zijn schouder, maar er was niemand anders. Je hebt wel van Haus Birkengrund gehoord, zei de directeur zachtjes. Maik knikte. Iedereen in Haus Ulmen had van Haus Birkengrund gehoord. Mevrouw Sörens had er twintig jaar geleden in de keuken gewerkt, vier weken lang als invalster, en had er elke morgen een nieuw linnen schort moeten strijken. Dat was men daar gewend en ze deed het nu nog steeds. De neef van meneer Mutesius van de tweede verdieping had geprobeerd om meneer Mutesius daar onder te brengen, maar zonder enige motivering nul op het rekest gekregen. Zeven jaar geleden moet er een gezamenlijke paasviering zijn geweest met een kuikenmusical en gevlochten broodjes, zo dik als een boomstam. Haus Birkengrund is ouder, voornamer, pas gerenoveerd en onbetaalbaar. Je wordt er in alle eer oud, zegt de een. Sterfhuis voor miljonairs, zegt de ander. Haus Birkengrund, zegt mevrouw Sörens, heeft de grootste, glanzendste keuken die een mens zich kan voorstellen, alles edelstaal, zegt mevrouw Sörens, tien espressomachines op een rij achter elkaar, afzuigkappen zo groot als een garagedak en zelfreinigende ovens. Heb ik ook, zegt Gabriële minachtend. Daar is het leven een feest, zegt mevrouw Sörens. En waarom ben je er dan niet gebleven, schampert Gabriële. Ze nemen nu eenmaal niet iedereen, zegt mevrouw Sörens.

Ja natuurlijk, zei Maik. Ze zoeken daar iemand als jij, zei de directeur, een jong gevoelig iemand met potentieel. Hoezo, zei Maik. Je kunt je daar verder ontwikkelen, met een voortgezette opleiding erbij. Ze zijn daar up to date. En dan wil ik het nog niet eens over het loon hebben. Zijn wij dan niet up to date, vroeg Maik. De directeur kneep haar ogen tot spleetjes en zei vriendelijk, weet je, jongeman, natuurlijk willen we een heleboel, maar onze middelen zijn nu eenmaal beperkt. Haus Birkengrund daarentegen, de stem van de directeur werd zachter, haar blik ging van Maik naar de boekenplanken en de vergulde staande klok, die het gesprek met haar zachtjes schrapende getik begeleidde.

Aha, zei Maik en kruiste zijn vingers. De directeur wachtte. Alleen het schrapen van de klok was hoorbaar en van buiten drong het geraas van een grasmaaier door. De directeur keek opzij zodat hij haar profiel zag en gaf hem nog een paar seconden. Toen wendde ze haar gezicht weer terug, een sierlijke beweging, haar oorbellen sloegen tegen haar wangen, en wat vind je ervan. Ach, zei Maik en rekte zijn vingers zodat de gewrichten kraakten en de directeur onmerkbaar haar lippen opeen perste, ach, weet u. Hij stond langzaam op alsof hij nog na moest denken, toen schoof hij de stoel opzij en liep naar de deur, weet u, ik heb het hier eigenlijk best naar m'n zin.

Hij kijkt naar de lichten, een vredig gezicht van hier uit, het lijkt op een adventskalender, er gaat een poortje dicht, er gaat er een open en voor de lichte achtergrond op de benedenverdieping staat een zwarte figuur, vlak voor het raam en zwaait. Dat kan meneer Lukan natuurlijk niet zijn, Maik heeft hem net nog voor de tv gezet, omdat mevrouw Hint vandaag niet kwam, en daar zat hij roerloos voor de reclame, zijn ogen draaiden heen en weer alsof hij iets zocht. En nu staat daar iemand met beide armen te zwaaien, hij zwaait naar Maik, laat even zijn armen zakken, en begint dan opnieuw. Maik zet zijn koffiekopje naast zich op de bank neer en wuift terug.

Bij de ingang staat meneer Mutesius van de tweede verdieping op hem te wachten. Hij zwaait met een blad papier en maakt een gedreven indruk. Jij kunt als eerste ondertekenen, roept hij en houdt het papier voor Maiks gezicht. OPROEP, leest Maik, VOOR VITAMINERIJK VOEDSEL. Meneer Mutesius, het avondeten komt zo, zegt hij. Precies, roept meneer Mutesius, dat komt goed uit. Lees nou maar. Wegens talrijke klachten heeft de bewonersraad besloten om een comité ter bevordering van voedingsrijke en uitgebalanceerde maaltijden in Haus Ulmen op te richten. Voeding is beslissend voor het fysieke en psychische welzijn. WE VOELEN ONS NIET GOED MEER! Steun ons met je handtekening. Maar ik eet hier toch helemaal niet, werpt Maik tegen, zo nu en dan eens en mevrouw Sörens kan echt fantastisch bakken, vindt u ook niet. Voel jij je hier dan wel goed, vraagt meneer Mutesius.

Meneer Mutesius begint alle vitaminearme gerechten van de laatste weken op te noemen, die boerenkool, zegt hij opgewonden, die dreef gewoon in het vet en bij die gebraden kip was niet eens groente, dat moet je toch toegeven en de aardappels zijn tot pap gekookt.

De paar onveranderlijken die nog niet naar hun kamers zijn gebracht, komen overeind en knikken, ja tot pap gekookt, met vastkokers gebeurt zoiets niet, er wordt op het eten bezuinigd. Meneer Mutesius glimlacht tevreden. Maik zou graag iets zeggen, iets wat zijn oma hem vroeger op het hart gedrukt heeft, er zijn veel mensen die helemaal niets te eten hebben, zou hij willen zeggen, maar dan ziet hij het gewichtige lachje van meneer Mutesius en zegt, tijd voor het avondeten dames en heren. Daar valt ook nog wel wat over te zeggen, roept meneer Mutesius, kant-en-klaarproducten, als het even kan in plastic en die margarine, daar zou je nog geen schaap van laten eten. Maar die is cholesterolarm, zegt Maik vriendelijk en gaat naar mevrouw Sörens, die in de keuken staat. Als hij zich nog een keer naar meneer Mutesius omdraait ziet hij hoe de onveranderlijken zich rond de oproep verdringen. Meneer Mutesius deelt balpennen uit.

In die nacht wordt mevrouw Hint wakker en weet dat ze blind geworden is. Ze is door een blauwglanzende duisternis omgeven, moeizaam tast ze naar het bedlampje en drukt op de schakelaar, maar er gebeurt niets. Ze knijpt haar ogen dicht, spert ze weer open, drukt voorzichtig op haar oogbollen. Haar hart bonst onder haar sleutelbeen. Ze komt overeind en draait haar hoofd heen en weer, terwijl ze hevig met haar ogen knippert, links moet de terrasdeur zijn en rechts de gang, zo is het altijd geweest, daar kan ze van uitgaan en daar brandt de hele nacht door licht, de lantaarns van de parkeerplaats en de noodverlichting in de gang. We laten u niet in het donker zitten, heeft Gabriële in een van haar tedere momenten tussen drie en vier uur 's nachts tegen haar gezegd toen ze pas hier was, de lichtschakelaar niet kon vinden en plotseling voor de personeelskamer stond in haar dunne pyjama, toen kon ze het nog zonder rollator doen, Gabriële had een arm om haar schouders geslagen en als twee vermoeide geliefden zijn ze door de gang terug naar haar kamer geslopen.

De wekker, denkt ze opeens, met de verlichte cijfers, ze draait zich om en stoot daarbij tegen een rand, iets valt met een dof geluid op de vloer en tolt rond op het linoleum. Mevrouw Hint zit stil en hoort plotseling het hele huis in het donker zachtjes ademen. Boven haar, naast haar, zelfs onder haar zetten de muren uit en krimpen weer langzaam, de buizen en de leidingen, alles klopt in het ritme van een langzaam tikkend hart en in het midden zit de blinde mevrouw Hint, in een doffe, verstikkende angst gevangen. Als dat ooit nog ophoudt, mompelt ze, dan laat ik hem nooit meer alleen, nooit meer, dat beloof ik en dan doet ze haar ogen dicht en wacht.

Als Gabriële drie uur later de rolluiken omhoogtrekt en zich omdraait om te zien waar het luide snurken vandaan komt, vindt ze mevrouw Hint, half zittend tegen de muur geleund, een kussen in haar armen en tussen haar benen een grote urinevlek. Ach, verdraaid, mompelt ze, maar ze beheerst zich, ze zal niet meer schelden, ze heeft nog het gehuil van gisteren in haar oren, dat heb ik niet gewild, heeft ze tegen haar man gezegd, die niets van Haus Ulmen wil weten, bespaar me die ellende, zegt hij altijd, we liggen al vroeg genoeg onder de zoden.

Maar deze keer moest ze het kwijt en heeft ze hem met bierschuim om de mond en de krant op schoot verrast, je kunt die ouwe snoepsters toch niet in alles hun zin geven, heeft ze snel gezegd, voor hij de afstandsbediening vond, op een gegeven moment houdt het op, het is bij de konijnen af, zoiets is toch onsmakelijk op die leeftijd, dus heeft de chef aan mevrouw Hint zo ongeveer verteld waar het op stond, maar dat ze zich dan de hele avond zo ellendig voelt, dat was mijn bedoeling nou ook weer niet. Ach, die komt er wel weer overheen, zei haar man, breek je kop er toch niet over, dat is niks voor jou. Gabriële weet dat dat niets voor haar is, ze doet het ook zelden, het is nergens goed voor. Ze heeft het nog eens hardop gezegd, om er helemaal zeker van te zijn, daar heeft niemand iets aan, zei ze met een vastberaden stem en voelde tegelijkertijd een angstig gekriebel in haar keel dat ze meteen weer kwijt moest en wel snel, anders zou ze een aanval krijgen van wat haar man migraine noemt of gegrien, het hangt er maar van af hoe zijn pet staat.

Eén keer per jaar overkomt het haar, niemand weet het behalve haar man, ze gaat dan niet naar haar werk, ligt thuis in de leunstoel en kijkt tv, terwijl de tranen over haar wangen lopen. Haar man klopt haar op de schouder en brengt haar een kop koffie, maar dan moet hij weg en als ze 's avonds nog niet opgekrabbeld is, kan hij het niet meer aanhoren en gaat meteen weer weg, naar de kroeg op de hoek en dan wordt het alleen nog maar erger. Alleen maar door die Hint en haar getortel, dacht Gabriële, die moet zich niet zo aanstellen, op die leeftijd is het uit met de pret, en dat zei ze ook snel, luid en krachtig en redde zich daarmee uit de problemen en toen haar man haar een knipoogje gaf en grijnsde, dus bij mij is het nooit uit, toen kon ze alweer lachen.

Kom, mevrouw Hintje, zegt ze nu met alle warmte die ze in haar stem kan leggen, en schudt mevrouw Hint bij de schouders. Mevrouw Hint beweegt langzaam haar scheve lichaam, opent haar ogen en kijkt langs zich heen naar beneden alsof ze nog nooit een nat nachthemd heeft gezien. Meteen uittrekken, zegt Gabriële, anders worden uw nieren koud. Mevrouw Hint kijkt naar haar vingers, dan omhoog naar Gabriële met een nieuwe, verwonderde blik. Wat is er, vraagt Gabriële, nu even de benen omhoog. Ik kan zien, zegt mevrouw Hint. Is niet zo erg, zegt Gabriële, zoiets kan een keer gebeuren.

Deel drie

De knutselkring heeft de gangen in Haus Ulmen met herfstslingers versierd, de geperste bladeren zijn echter al tot opgekrulde snippers ineengekrompen en draaien rond in de droge lucht. Schandalig gewoon, zo goed als ze eruitziet, denkt mevrouw von Kanter, als Regina met een bos asters, een fles Hohes C en een pakje de kamer binnenkomt, heel schandalig, zo goed, en kijk hoe ze loopt, bijna net zoals ik vroeger, en een vleugje trots nestelt zich tussen de woede die al drie weken lang in haar smeult. Als ze maar had kunnen schreeuwen of schelden of tenminste sissen, dan had ze die bezoekster weg kunnen jagen en Maik kunnen uitkafferen, die steeds maar weer met een olijk gezicht op Maleisië zinspeelde, op het hete eten, de liefde en de zonsondergangen, hij leek haar daarmee een complimentje te willen geven, alsof zij het was die onder de palmen de gulp van een kale ambtenaar opentrok.

Wat heeft dat met Maleisië te maken, had ze kunnen sissen, dat kun je in elke goedkope hotelkamer ook krijgen, en ze had hem over de geremdheid van haar dochter kunnen vertellen, die nu op haar oude dag nog iemand aan de haak geslagen had en haar hier had laten zitten. Vroeger kon je haar niet onder de mensen krijgen, ze spartelde tegen alsof men haar iets wilde aandoen, iedere receptie was een bezoeking en de spullen die mevrouw von Kanter voor haar aanschafte of door Heinzi liet meebrengen uit de boetiek, kwamen ongedragen en netjes gevouwen in dozen onder haar bed terecht, je moest niet denken dat mevrouw von Kanter geen ogen in haar hoofd had, ook al deed Regina meestal haar kamer op slot, maar meestal is niet altijd, en het was toch niet verboden om je af en toe met het leven van je eigen dochter te bemoeien, die zich niet uit, haar lippen niet van elkaar krijgt, de stakker, hoe meer je haar vraagt, des te koppiger wordt ze.

Eigenlijk wist ik niets van haar, denkt mevrouw von Kanter, ik heb het wel geprobeerd, ik heb wel gezien dat ze eenzaam was, moeders weten dat nu eenmaal, maar ze is nooit openhartig geweest, een halsstarrig kind, dat is ze. Als Regina haar omhelst en het pakje op haar schoot legt, wil ze dat gezicht tussen haar handen nemen, maar ze brengt slechts een klokkend geluid voort. Mama, zegt Regina, die van plan is om zich niet te verontschuldigen, en ze houdt haar hand vast, ik ben er weer en ik heb ook iets voor je meegebracht, Mama, kijk eens, ze pakt het cadeautje weer op en maakt het open, dat heb ik zelf geschilderd. Mevrouw von Kanter kijkt naar een rechthoek van zijde. Rechts glanzen vlezige bloesems, links buigt zich een palm, daarboven meeuwen, in het zwart en het grijs. We kunnen het inlijsten als je wilt, ik bedoel, als je het mooi vindt, zegt Regina. Waarom zijn die meeuwen zwart, wil mevrouw von Kanter vragen, maar Regina heeft het kunstwerk alweer stevig opgerold en loopt in de kamer heen en weer, als er maar geen stilte valt, ze praat en praat, ik heb zo veel te vertellen, mama, het is zo goed voor me geweest, als de foto's eerst maar eens klaar zijn.

Als de foto's eerst maar eens klaar zijn. Wat kunnen mij die foto's schelen, denkt mevrouw von Kanter, wat moet ik met die foto's, wat kan daar nu op te zien zijn, die kale armoedzaaier zal erop te zien zijn, die ik nooit onder ogen zal krijgen, zwarte meeuwen, zwarte mensen, ik heb vroeger liever in Europa rondgereisd, dat gespetter in Aziatische hotelzwembaden, belachelijk gewoon, dat zou eens tegen haar gezegd moeten worden, ik kan nooit meer op reis gaan, ook niet meer naar Sankt Moritz, en niet meer naar Mürren en naar Londen al helemaal niet, mevrouw Hint heeft haar ooit de kaart van de Londense metro willen laten zien, maar ze heeft dat lusteloos afgewimpeld, wij zouden elkaar daar toch niet zijn tegengekomen, had ze met een alwetend lachje willen zeggen, maar ze kan niet eens meer glimlachen, al wat er komt is een grimas en dat is geen gezicht voor een ander, zelfs voor haar eigen dochter niet.

Mevrouw von Kanter zit roerloos en voelt hoe de ontgoocheling bezit van haar neemt, het is geen verdriet, het is het gevoel bedrogen te zijn, zo gaat het niet, zou ze willen roepen, dat moet weer goedgemaakt worden, zo was de afspraak niet. Regina heeft niets gemerkt, met haar ademloze, ietwat bevende geklets wil ze mij om haar vinger winden, ze denkt zeker dat ze me de baas is. Mevrouw von Kanter sluit haar ogen en balt haar handen langzaam tot vuisten.

Ze haalt sneller adem, steeds sneller tot ze gaat hijgen en

nog altijd staat Regina voor het raam en merkt helemaal niets, maar zo meteen zal ze het niet meer kunnen negeren, het gehijg en daarbij komt een benauwd, ritmisch kreunen diep uit mevrouw von Kanters borst dat klinkt als het balken van een ezel, haar vingers klauwen zich om de leuning, nu spert ze haar ogen weer open en stoot ook met haar schoenen tegen de voetenplank van de rolstoel, zo hard als ze maar kan, en buigt haar nek opzij, hou nou maar op, er valt niets meer te zeggen, dan staat Regina naast haar en heeft haar handen gepakt, mama alsjeblieft, wacht mama, ik haal hulp.

Als ze zich allemaal rond haar verdringen en mevrouw von Kanter Regina's ontstelde gezicht vlak voor zich ziet, houdt ze op met stampen, Regina heeft haar handen vast, zodat ze niet meer om zich heen kan slaan, en van achteren veegt iemand met een brillenpoetsdoekje het speeksel van haar kin. Mevrouw von Kanter zakt achterover, ze zou wel willen glimlachen, maar ze kan zo snel niet ophouden met kreunen, ook al wil ze er nu een eind aan maken, het komt nog steeds omhoog, maar het wordt wel zachter. Zouden we de dokter niet roepen, zegt iemand bij de deur, denk aan wat er eerder met haar is gebeurd. Maar het gaat toch al beter, zegt Regina smekend en schril, ik blijf bij je mama, ik blijf bij je.

Drie kamers verder probeert Ernst de aandacht van de professor te trekken, die voorovergebogen en met kleine, schokkende stappen gejaagd heen en weer loopt. Er is weinig ruimte, zodat hij bijna tegen de muur botst en weer om moet keren. Papa roept Ernst, blijf toch staan, je hebt me nog niet eens aangekeken. Wil je dan niet weten hoe het was? De professor lijkt hem niet te horen, hij beweegt zijn lippen en trippelt tussen het bureau en het bed heen en weer tot Ernst het niet meer kan aanzien. Hij gaat in de weg staan en drukt zich tegen het rusteloze lichaam aan, papa, wat zoek je toch, wat is er aan de hand, heb je mijn kaart gekregen. De professor schudt misnoegd zijn hoofd, probeert de armen van Ernst weg te duwen, dan verslapt hij plotseling. Waar is Anna, zegt hij. Je hebt haar verstopt. Papa, zegt Ernst en haalt diep adem, terwijl Maleisië langzaam in een onmetelijke verte oplost, je weet toch wat er met Anna gebeurd is, met mama, bedoel ik. Ze is overleden. Onzin, lacht de professor, ze was er onlangs nog, je hoeft me helemaal niets wijs te maken, je hebt haar toen zelf meegebracht. Dat was Lili, je kleindochter, zegt Ernst, die was ongelooflijk blij toen ik terugkwam, ik heb natuurlijk iets voor haar meegebracht, een stoffen aapje, de apen hebben daar zwarte gezichten en voor jou heb ik ook wat, papa, maak dat nu eens open.

De professor scheurt het papier van de fragiele marionet, die Ernst uitgezocht heeft omdat hij een stil en ernstig gezicht heeft, alsof Barlach het gesneden heeft, en omdat de professor vroeger kunstvoorwerpen en religieuze objecten uit andere culturen verzamelde, in het oude huis hingen ze aan de muren, wajangpoppen, schilden en maskers waarvan de holle ogen Ernst toen hij nog kind was angst aanjoegen, maar de professor stak zijn wijsvingers door de gaten en bewoog zijn vingertoppen heen en weer tot hij Ernst aan het lachen bracht. Hij heeft geen oog voor de marionet, klemt hem onder zijn arm en zegt koppig, gisteren was ze hier, je hebt haar naar me toe gebracht en nu heb je haar verstopt.

Ernst voelt een hete wanhoop in zich opstijgen, nee, denkt hij, hou je kalm, hij kan het niet helpen, dat doet hij niet expres, het zijn chemische processen, het zijn z'n hersens, dat komt niet uit hemzelf voort, ik moet beheerst blijven en tegelijk buigt hij zich voorover en grist de pop onder de arm van de professor weg, de zwarte houten kop hangt naar beneden, de draden zijn verward geraakt, je bent ziek, zegt hij met een zachte, scherpe stem, die het verweekte brein van zijn vader moet binnendringen, je kunt niets meer uit elkaar houden en het wordt steeds erger met je. Hij wacht, maar in het gezicht van de professor verandert niets. Weer schudt hij zijn hoofd als een oud paard, jij hebt haar, waar is ze. Je bent de oude niet meer, zegt Ernst, ik kan niet meer met je praten. Je bent een plant.

Dan zwijgt hij en schrikt. Hij heeft een taboe gebroken, alweer, hij roept het ene onheil na het andere over zich af, die dode schilpad, hij moet het ongedaan maken, snel, voor het gevolgen heeft. Ik bedoel, zo heb ik dat niet bedoeld, papa, zegt hij vlug, begrijp me alsjeblieft niet verkeerd, ik ben mezelf nog niet helemaal, ik praat onzin, de jetlag, weet je. Maar de professor heeft zijn oren gespitst. Ik heb veel te weinig slaap gehad, Ernst praat maar door, ik bedoel, natuurlijk ben je geen, geen, hij mag het niet opnieuw zeggen. Plant, valt de professor hem in de rede. Plotseling kijkt hij Ernst helder en geamuseerd aan. Niet slecht, zegt hij opgewekt, een plant.

Op weg naar buiten blijft Ernst even voor de kamer van mevrouw von Kanter staan. De deur zit potdicht, hij hoort geen enkel geluid en loopt snel verder. In de plastic zak zit het pluchen aapje met de zwarte snoet, hij weet dat Lili het leuk zal vinden, hij heeft een succesje nodig, een omhelzing, het een of andere welkomstteken dat de vloek zal verdrijven en hem zal doen slapen deze nacht. Maar dinsdag is geen Lili-dag. Maik, die bij de onveranderlijken met de medicijnen bezig is, en langer haar heeft dan voordien, roept dwars door de hal, en was het de moeite waard. Wat is dat voor een vraag, denkt Ernst, hoe moet ik dat weten, wie kan dat überhaupt weten. Nou, goedkoop is het niet, roept hij terug, maar het eten, en hij klakt een paar keer vol genot met zijn tong, wat Maik niet horen kan, omdat een van de onveranderlijken zich juist verslikt heeft en droge, korte kuchgeluiden voortbrengt die ze in de holte van haar handen naar buiten hoest. Maik zwaait naar hem, terwijl hij op de hoekige schouders klopt, en schudt zijn haar van zijn voorhoofd, zo veel haar, denkt Ernst, wat is dat mooi. Het bruin van zijn huid is hier binnen tot een geelachtige waas geworden en hij loopt snel naar buiten. Het aapje in de zak slaat tegen zijn knie. Hij zal het naar Lili brengen.

Wanneer hij de straat inslaat waar Lili woont is het al een paar minuten voor zessen, maar hij hoopt dat hij haar nog bij de speelplaats kan opvangen. Hij gaat op een bank zitten en kijkt naar haar uit. Het is al bijna donker. Ernst hoort kinderstemmen weerkaatsen tegen de muren, het stuiten van een bal, maar er is niemand te zien. De lucht is guur en er hangt een onaangename geur. In Lili's huis brandt licht, ze moet al boven zijn en boterhammen met salami eten, Lili's moeder smeert de boter op de sneden, hoewel Lili dat allang zelf kan.

Voordat hij vertrok is hij nog bij haar geweest om het nodige uit te leggen en toen hebben ze er ruzie over gemaakt. Hij mocht binnenkomen en zat aan de tafel, terwijl Lili's moeder de boter uit de koelkast pakte en sap inschonk. Ze vroeg hoe het bij hem op school ging en hij informeerde naar haar rug, waar ze voortdurend last van had, dat wist hij wel, ofschoon ze zich net zo snel en lenig bewoog als vroeger. Toen ze begon met het brood voor Lili te smeren en in kleine stukjes op haar bord te rangschikken, zei hij zo vriendelijk mogelijk dat het kind toch geen baby meer was. Denk jij dat jij haar ontwikkeling beter beoordelen kan dan ik, antwoordde haar moeder. Volgend jaar gaat ze naar school, laat haar toch zelf haar brood smeren, riep Ernst en zijn toon werd al luider, dat wordt een smeertroep, kaatste Lili's moeder terug, overal boter, op haar kleren, overal vetvlekken, die krijg ik er niet meer uit. Bij mij kan ze het best, wierp Ernst tegen en veroorzaakte zo een woedeaanval, bij jou, bij jou, jij bent toch altijd de beste, de koning van de weekenden en ik moet me er elke dag mee zien te redden, wat weet jij er nu van, jij bent vrij, jij kunt doen en laten wat je wilt. En nu ga je naar Maleisië. Dat is helemaal niet waar, zei Ernst, vrij, laat me niet lachen, wanneer jij eens wist. Maar toen zag hij Lili's gezicht, haar handen over haar oren, haar ogen dichtgeknepen en hij zweeg.

Hij wil haar gezicht nu zien en het over het gezicht van de professor heen leggen, die ogen vol wantrouwen ermee bedekken, hij wil die oude man verdrijven, die voortdurend aan zijn kop zeurt en tegen hem aanloopt alsof hij hem in de weg zou staan. Hij wil alleen wat al die anderen ook willen, die Haus Ulmen na twee of drie uur verlaten en hun aandacht meteen weer op hun kinderen richten, als ze die hebben, en anders op hun partner of hun hond. De kinderen hebben hun mobieltjes alweer aangezet of hun knuffelbeesten tevoorschijn gehaald die hun beloofd werden als ze mee naar oma zouden gaan, en draaien zich niet meer om naar Haus Ulmen. De ouders plukken aan de kinderen, strijken hen door hun haar, zetten hun kraag op, ruiken onopvallend in hun nek, vers, zoet zweet, zeep, boter, zo kom je er snel van los, ook honden doen het goed, die springen op zodra ze door de schuifdeur komen, rennen op de parkeerplaats heen en weer, sterk en gespierd, die zijn gewoon blij dat ze weer buiten zijn, en Ernst denkt, dat heb ik ook nodig. Regina heeft niemand, maar dat wil ze zelf, meer dan een poging wagen kan ik niet, ik heb het zo goed geprobeerd als ik kon, en zij ook, we hebben het allebei geprobeerd. Nu heb ik Lili nodig, ik heb immers ook wat meegebracht, en hij drukt met kracht op de bel, eerst twee keer kort, dan twee keer lang, zoals ze hebben afgesproken, en dan laat hij de bel niet meer los. Geen beweging. Ten slotte doet hij tien stappen terug, hij heeft zich niet vergist, er brandt licht. Ze moeten thuis zijn.

Regina pakt haar koffer uit. Omdat zij niets heeft wat haar gedachten kan verdrijven, zijn haar bewegingen langzaam, soms stopt ze even en komt er niet toe om haar hand weer uit te strekken, nog een blouse te pakken, die zachtjes uit te schudden en op een knaapje te hangen. Ze snuffelt aan haar badpak, het ruikt naar de goedkope, maar prima werkende Maleisische zonnebrandcrème, naar de stijve koffer en ook een beetje naar ananas en tomatensap met peper. De foto's zullen over veertien dagen klaar zijn. Ze rolt haar tweede grote schilderij op zijde uit, aan de randen is er wat verf afgesprongen en over het geheel genomen ziet het verre, door golven ombruiste eiland er in het onbarmhartige licht van de halogeenlampen wel erg oogverblindend uit. Ze denkt aan de wilde dans van de Engelsman die door een kwal was gestoken. Ze denkt ook aan Ernst, die nu ongetwijfeld bij Lili is en het een en ander uit Maleisië heeft meegebracht, een zwarte, houten marionet, zo dun als Magere Hein, een met de hand gesneden slabestek, de schoenen met de rieten zolen die hij hier eigenlijk niet kan dragen omdat ze bij het eerste druppeltje vocht in slierten uit elkaar vallen. Ze kan, wanneer ze terugverlangt, bij hem alles komen bekijken, heeft hij gezegd, maar eergisteren is ze niet gegaan en gisteren ook niet, het is goed dat hij niet teleurgesteld is, dan valt het hem gemakkelijker en haar ook. Lachend hebben ze afscheid genomen. En hij is immers de wereld niet uit, natuurlijk zullen ze elkaar iedere dinsdag zien en steeds wanneer ze er zin in hebben.

Feesten zijn belangrijk voor ons, staat op de donkerblauw gekleurde uitnodiging van de directie, het zijn vaste oriëntatiepunten in de loop van het jaar. Deze keer moeten de familieleden een jeugdfoto van hun geliefde meebrengen, er zal namelijk een fotowand worden opgesteld, toen en nu, zodat men op een ongedwongen manier met elkaar in gesprek raakt over vroeger en daardoor in de oude gezichten de schoonheid van de jonge jaren ontdekt, op die manier kan men de oudere een gevoel van zijn jeugd teruggeven. Dat heeft de directie onlangs op een bijscholing geleerd en dat moet onmiddellijk in praktijk worden gebracht, natuurlijk maar voor even, maar in het werken met oude mensen is het juist dat 'even' waar het om gaat. Geld is er genoeg en de schotten zijn al besteld.

Maar ook de adventsstemming mag niet te kort komen,

de knutselkring heeft de brokkelige bladslingers vervangen door ingenieus gevouwen sterren van goudpapier, een klassieke versiering, die het elk jaar weer erg goed doet. Het scheelde weinig of mevrouw Sörens had zo goed als echte stollen volgens het recept van een tante uit het Oosten gebakken, maar dat werd toch echt te duur. In plaats daarvan heeft ze familieverpakkingen speculaas en taaitaai op glimmende kartonnen borden gestrooid en ze leuk gerangschikt. Overal hangen bosjes sparrengroen, lametten en kleine rendierfiguren van knipperende lampjes, er wordt echt nergens op bezuinigd, want op deze dag moet iedereen, vooral ook het bezoek van buiten, zich thuis voelen en in een feestelijke stemming zijn. De bewoners zijn in hun beste plunje, hun haar is gekapt, ze hebben lippenstift op en dragen alle beschikbare sieraden, een vleug haarspray vermengt zich met de harsachtige geur van advent.

Vandaag sterft er niemand, zegt mevrouw Sörens, de dood houdt niet van Kerstmis. Onzin, zegt Gabriële, elke seconde sterven er op aarde weet ik niet hoeveel mensen, of het nu Kerstmis is of niet.

Maik heeft zijn haar laten knippen en zijn vriendin een uitnodiging gestuurd omdat het Kerstmis is en zij hem aan het werk kan zien, werk dat hij handig en krachtdadig verricht, een aanblik die de meeste mensen vertrouwen inboezemt, misschien ook haar wel. Maar ze heeft niets van zich laten horen en onrustig houdt hij de ingang in het oog.

Ook Regina houdt zich in de buurt van de draaideuren op, die steeds weer met een smakkend geluid opengaan en stromen stemmig geklede bezoekers binnenlaten, net een officiële plechtigheid, denkt Regina, alleen de kinderen zijn kleurig uitgedost en dragen grote stukken speelgoed onder hun arm om zich vooral maar niet te vervelen. Ze kijken omhoog naar de enorme adventskrans, waar vorig jaar nog echte waskaarsen op stonden, maar toen drupte er hete was in de nek van een bezoekster, die eiste smartengeld van Haus Ulmen, en sindsdien zijn echte kaarsen verboden, je kunt bovendien niet weten wat die oude mensen ermee doen. Het blaasorkest toetert al in de donkergroen geurende eetzaal, men heeft mevrouw von Kanter er ongetwijfeld al heen gereden, maar Regina heeft sinds Maleisië niet meer alleen met Ernst gepraat, een snelle omhelzing in de gang, een sigaret onder de ogen van de onveranderlijken, verder was er te veel te doen, al was het moeilijk om te zeggen wat, Regina heeft een yogacursus gedaan, en wil graag een schriftelijke studie kunstgeschiedenis volgen, en Ernst heeft voortdurend zijn dochter op bezoek. In elk geval wil ze nog even naar hem kijken, of hij nog bruin is, of het vlaggetje van Maleisië nog op zijn jasje zit, of je nog iets van zijn teleurstelling kunt merken.

Klanken uit de eetzaal stromen naar buiten. Heft op uw hoofden, poorten wijd. Daar komt hij door de schuifdeuren, kleiner dan anders, met een envelop in de zak van zijn jasje, en ziet haar meteen. Je hebt rozige wangen, zegt hij direct en met ongeveinsde opluchting, ik ben blij wanneer het goed met je gaat, dat is beter zo. Jij ook, zegt Regina. Ik bedoel ik ben ook blij. Denk je er nog wel eens aan, vraagt Ernst. Regina weet niet precies wat hij bedoelt, ja, zegt ze, vaak. Opeens wil ze haar wangen tegen zijn gezicht drukken, hem met al haar kracht omarmen, tot ze met hun buik tegen elkaar gedrukt staan, zich aan zijn hals vasthouden, haar knieën om hem heen slaan, al is het maar voor even.

De directeur schrijdt langzaam en waardig langs hen heen, gevolgd door de administrateur, en de openslaande deuren van de eetzaal worden alweer gesloten. Ernst haalt de envelop uit zijn jasje, de foto's zijn eindelijk klaar, ze zouden nu vergroot kunnen worden, maar daar komt mevrouw Halter al op ze toe, mag ik u verzoeken, we willen nu graag beginnen en terwijl de dominee de zegen uitspreekt, worden ze naar twee lege stoelen verwezen, die op verschillende plekken in de zaal staan. Ze draaien zich naar elkaar om en halen de schouders op. Mevrouw von Kanter zit vlak achter Regina en staart naar haar rug.

Als het na het gebed stil wordt, is er behalve het normale zachte geruis een schrapend geluid te horen, dat maar niet wil ophouden. Kijk eens, zegt een vijfjarig meisje met een heldere stem, waarom gaat die daar niet zitten. Ernst draait zich om en ziet de professor haastig achter de laatste rijen heen en weer trippelen. Steeds weer stoot hij tegen handtasjes, stoelleuningen, uitgestrekte benen en meegenomen speelgoed, maar hij gaat met dezelfde snelheid door. Nu hoort Ernst hem ook snuiven.

Terwijl de directeur zich naar voren begeeft en in haar toespraak bladert, wordt het nog stiller, een stilte die slechts door het snuiven van de professor genadeloos verstoord wordt. Ernst steekt een hand op en probeert zo de aandacht van de professor te trekken, maar de professor houdt zijn hoofd gebogen, hij ziet alleen het stuk van de vloer voor zijn voeten waarover hij lopen moet. Voordat Ernst uit de rij kan komen waarin hij zit, is de directeur al met haar toespraak begonnen, een citaat uit *Le petit Prince* of is het Thomas van Aquino: *We zien alleen waarachtig met ons hart* en Maik heeft de professor de weg versperd en hem vanuit de zaal naar de entreehal gebracht waar hij, als Ernst hem bereikt, gejaagd in cirkels rondloopt.

We kunnen hem niet meer tegenhouden, zegt Maik, maar er is medicatie mogelijk. We moeten erover praten. Papa, zegt Ernst, blijf toch staan. Dat heeft geen zin, zegt Maik, hij hoort u gewoon niet. Natuurlijk hoort hij mij, zegt Ernst met stemverheffing, hij is toch niet getikt, hij moet alleen maar de knop omdraaien. In die drie weken is hij hard achteruit gegaan, zegt Maik. Ben jij tegenwoordig zijn huisarts, roept Ernst, wie kent hem beter. Intussen is de professor opgehouden met rondjes lopen en haast zich met vooruitgestoken nek in zigzagkoers door de entreehal. Als hij tegen een bos sparrengroen stoot, glijden de glazen bolletjes van de takken en vallen op de vloer kapot. Het is hier ook veel te glad, roept Ernst, hij zal zich bezeren en hij loopt de professor achterna, alsjeblieft papa, luister toch even. Ze lopen doelloos heen en weer, de professor ontwijkt hem als een angstige hond en ook Ernst begint al te hijgen.

Ten slotte zakken ze beiden buiten adem in een leunstoel bij het raam, waarin de onveranderlijken diepe kuilen hebben achtergelaten. Het zweet staat Ernst in zijn hals en tussen zijn wenkbrauwen. De professor plukt aan zijn broekspijpen. Ze hebben hem een colbertje aangetrokken en zelfs een gestreken zakdoekje in zijn borstzak gestopt, hij kon wel voor een gastspreker op een internationale conferentie doorgaan, alleen zijn haar zit te veel in de war. Wanneer Ernst een nattig sliertje fatsoeneren wil, dat dwars van zijn schedel af staat, duikt hij onder diens hand weg. Maik staat naast de eetzaal tegen de muur geleund, met zicht op de draaideur, en slaat hen gade.

Ernst buigt zich naar achteren en kijkt naar de parkeerplaats. Daar staat Regina's pas gewassen auto. Uit de eetzaal klinkt een lied over de herders. Papa, zegt Ernst en sluit zijn ogen, ik breng Anna bij je terug. Praat geen onzin, zegt de professor zachtjes. Anna ligt al jaren onder de grond.

Als Regina in de grote stroom van gasten en bewoners met mevrouw von Kanter uit de eetzaal komt, zijn de scherven opgeveegd. De professor en Ernst zitten met de armen over elkaar en halfgesloten ogen zij aan zij in de zithoek. Wat lijken ze op elkaar, denkt Regina. We zien alleen waarachtig met ons hart, kwettert iemand achter haar. Daar zit de man die net zo hard rende, roept een kind, kijk eens, mama. Niet wijzen, waarschuwt de moeder, dat hoort niet zo. Waarom niet, vraagt het kind. Regina buigt zich over mevrouw von Kanter heen, en hoe vond je het? Mevrouw von Kanter maakt een knallend geluid met haar lippen, dat Regina aan het lachen maakt en lachend gaat ze de hal door, naar Ernst en de professor toe.

Ze is mooi, denkt Ernst, en ze houdt zich zo flink, wat is er met haar? Hij haalt de foto's uit zijn jasje en zwaait met de envelop. Eindelijk, roept Regina, kom mama, je wou die zwarte apen toch eens zien. Heb ik dat gezegd, denkt mevrouw von Kanter, wat heb ik met die apen te maken, van mijn part hebben ze paarse stippen, ik wil die kale van dichtbij zien, hij lijkt verdraaid veel op zijn vader, over twintig, dertig jaar komt hij hier ook terecht, daar durf ik vergif op in te nemen. Heb ik me eigenlijk al voorgesteld, zegt Ernst en grijpt naar haar hand, ik was haar gids om zo te zeggen en met een bijna guitig lachje kijkt hij Regina aan. Op haar beurt begroet Regina de professor, ik heb al veel over u gehoord, professor Sander, in Maleisië hadden we tijd genoeg en hebben over van alles en nog wat gesproken. Dat doet ze perfect, denkt mevrouw von Kanter niet zonder bewondering en de professor zegt uitgeput, Maleisië, o ja, dat herinner ik me.

Ze buigen zich over de foto's, Regina met een rietje tussen haar tanden, Regina zwaaiend in het water, dat was zo warm, bijna te warm, hè Ernst, en zo blauw, je kon het haast niet geloven. En hier zijn we die scherpe saus aan het proeven, die heeft nog urenlang in onze keel gebrand. En hier hebben we de liefde bedreven, zegt Regina en zwaait met een foto van hun kamer, met in het midden als een podium het koloniale bed. Een ogenblik lang zegt niemand iets. Om hen heen gonst de adventsmiddag. Regina ziet hoe mevrouw von Kanter langzaam haar lippen krult. Ernst lacht even met zijn hand voor zijn mond. God is liefde, zegt de professor en wie in de liefde blijft, blijft in God en God blijft in hem. 1 Johannes 4:16.

Overal zijn tafels en stoelen in kleine kringen bij elkaar geschoven waar gezinnen zich rond de speculaas verzamelen. De directeur wandelt groetend en babbelend door de gangen. Bij de fotowand zorgt mevrouw Halter met haar sterk gezwollen buikje voor een aantrekkelijk evenementje. Ze lijdt sinds de vierde maand aan vochtophopingen in handen en voeten en geeft sinds kort geen danslessen meer. Dochters, petekinderen en schoonzoons zijn in fotoalbums en oude dozen gaan zoeken en staan nu in de rij met plaatjes van frisse meisjes met gesteven rokken, jongens met leren broeken en opgeschoren nekken, van examenfuiven en diploma-uitreikingen, wandelclubs en fietstochten. Enkele soldaten, verscheidene kakelverse bruidsparen en twee gepromoveerden met doctorshoed zijn er ook bij.

Ik weet echt niet wie dat zijn, zegt iemand en houdt een

foto met uitgelaten bakvissen vlak voor haar ogen, maar vragen heeft geen zin, mevrouw Halter weet het ook niet. Dat ben ik, roept meneer Mutesius van de tweede verdieping en drukt zijn wijsvinger op een kloeke jongeman met rugzak en reisstaf. O nee, dat spijt me, zegt de echte eigenaar van de foto, die het kiekje juist met buddy's op de door mevrouw Halter aangewezen plaats heeft geplakt, dat is mijn vader. Meneer Mutesius wil daar niet van horen, ik weet toch zelf wel hoe ik eruitzie, zegt hij verontwaardigd, en toen was u er nog niet eens.

Mevrouw Halter tracht tussenbeide te komen, maar plotseling laait er aan alle kanten ruzie op, dit is mijn Greetje, toen hadden we ons net in Italië verloofd. Onzin, schreeuwt iemand ertussendoor, toen was het oorlog, u had aan het front moeten zijn. Er worden jaartallen geschreeuwd, namen aangedragen, jawel dat is ze, natuurlijk is ze dat, ze heeft koperkleurig haar. Had ze.

Wat een idioot idee, mompelt Maik, wat heeft dit nu voor zin. De directeur trekt haar zalmkleurige wenkbrauwen al op. Mevrouw Halter zwaait kalmerend met haar handen, straks gaan we pas raden, zegt ze smekend, een ogenblikje geduld, dan zijn er ook prijzen. Wat dan, vraagt meneer Mutesius. Mevrouw Hint, voor wie niemand iets heeft meegebracht, komt langzaam dichterbij met een foto van zichzelf als een tengere teenager en een van meneer Lukan die ze tussen de paar boeken die hij bezit, heeft ontdekt. Naast elkaar alstublieft, zegt ze zachtjes tegen mevrouw Halter. Links beneden is er nog een hoekje vrij. Blij dat dit zo makkelijk gaat, plakt mevrouw Halter de magere vijftienjarige naast de pasgeschoren zakenman. Zo goed, vraagt ze aan mevrouw Hint, die met haar ellebogen op haar rollator steunt en naar de twee gezichten staart. Die zwijgt. Is het zo naar uw zin, vraagt mevrouw Halter iets luider. Mevrouw Hint bijt op haar tanden en probeert iets te zeggen, maar dan staan er eensklaps tranen in haar ogen. Ze draait snel haar rollator om en duwt zichzelf door de links en rechts verspreide families heen tot ze haar kamer bereikt heeft.

Regina en Ernst geven elkaar de foto's van Maleisië. Regina toont de geslaagde opnamen aan haar moeder, ook de professor ademt weer rustig, terwijl Ernst kerstbrood haalt. Langzaam daalt een haast vredige traagheid over hen neer, een familie die te midden van de onrust rond de tafel zit en de vakantiekiekjes bekijkt. Op mevrouw von Kanters gezicht ligt nog steeds die glimlach, goedmoedig is die niet, dat zou overdreven zijn, maar welwillend zou je hem kunnen noemen, denkt Regina, in ieder geval niet bitter en ook niet boosaardig, een niet-alledaags gezicht, die glimlachende moeder, die langzaam van Ernst naar Regina kijkt.

Ook Ernst en Regina werpen elkaar blikken toe om hun teleurstelling te peilen, die er eigenlijk niet mag zijn. Hij heeft nog bruine handen, denkt Regina en herinnert zich hoe die handen langs het patroon van de sinaasappelhuid op haar dijen gegleden zijn, zonder dat ze van schaamte verging, dat is toch al heel wat, denkt ze. Ernst vindt Regina veranderd, haar haar is anders, niet alleen door Michaël getoupeerd, maar steviger en zelfs langer en als een stukje brood tussen mevrouw von Kanters lippen in een wolk van poedersuiker ontploft, veegt ze met verrassende behoedzaamheid het witte laagje van haar kin.

Die avond, terwijl Maik in de gangen de sparrennaalden opveegt, hoewel hij allang thuis had kunnen zijn, terwijl Ernst en Regina in de Beethovenstraße elkaar met alle moed der wanhoop omhelzen, mevrouw von Kanter zich slaperig en niet zonder trots over het laat ontwaakte lichaam van haar dochter verwondert, terwijl meneer Lukan naar het zoemen van de buitenverlichting luistert, dat door de rolluiken zijn kamer binnendringt, en mevrouw Hint na vier glazen port met haar gezicht in haar handen zit te huilen, staat de professor voor het raam en kijkt naar het in nevel gehulde licht van de lantarens. Hij voelt hoe een spier in zijn rechterdijbeen trekt en vervolgens ook een in zijn linker. Hij loopt heen en weer, buigt zich ook iets naar voren, maar een dof en branderig gevoel in zijn lendenwervels dwingt hem om meteen weer rechtop te gaan staan. Het trekken in zijn dijbeen wordt tot een regelmatig kloppen, alsof er iemand van binnenuit met een gebalde vuist tegen zijn huid tikt.

Dat moeten we regelen, zegt de professor halfluid en glimlacht omdat de zin hem bekend voorkomt. Die is waarschijnlijk van Anna. Ze regelt alles voor hem, ze zal er ook voor zorgen dat hij zijn aantekeningen voltooit en er een geschikte uitgeverij voor vindt. Veel verder is hij niet gekomen vandaag, hij werd te vaak onderbroken. Hij is ook nog niet buiten geweest, daar komt dat kloppen door, dat zal Anna niet leuk vinden, een mens heeft frisse lucht nodig. Hij haast zich meteen naar de garderobe, werpt een dunne jas over zijn schouders en loopt via de verlaten entreehal naar buiten, het park in. Daar ruikt het naar nat karton en rookvlees, een merkwaardige geur, denkt de professor, misschien heeft iemand deze geur voor de grap verspreid, iemand die hem nu gadeslaat terwijl hij met opengesperde neusgaten door het natte gras loopt, zonder schoenen aan, maar dat mag hem niet deren. Hij zal zich niet belachelijk laten maken en het koude gazon onder zijn voeten voelt niet eens onprettig, als je maar snel genoeg doorloopt.

Het zou wel goed zijn om de wandeling en de avondstilte te gebruiken om over zijn notities na te denken, het was altijd inspirerend om alleen in de natuur te zijn, of met Anna, die hem nooit zal storen als ze merkt dat hij nadenkt, dat ziet ze met één oogopslag en dan spitst ze haar lippen en zwijgt met dat guitige toetje, schuift alleen haar hand onder zijn elleboog omdat ze bang is dat hij zal verdwalen. Hij kijkt rond of ze er is, het zou goed zijn haar nu bij zich te hebben, want hij weet niet helemaal zeker meer of hij nog op de goede weg is, eigenlijk is het geen weg meer, maar een heel oneffen terrein zonder verlichting, hij zou ook kunnen blijven staan en zich omdraaien, maar zijn voeten zijn stijf van de kou, hij moet in beweging blijven, en de geur hangt nog altijd in de lucht. Misschien is er wel iemand die hem in een hinderlaag wil lokken, want waar geen licht is, kun je je niet verweren.

Voor zich uit hoort hij een geruis, misschien de branding van de zee of druk verkeer, daar hoor je het verschil niet tussen wanneer je niets kunt zien. Hij gaat die richting uit, raakt met zijn armen in het struikgewas, er slaat iets tegen zijn wang, Anna, doe het licht eens aan, roept hij, maar Anna luistert niet, dat heeft dus geen zin, hij moet verder, hij trekt de jas wat strakker om zich heen, die geeft geen warmte, maar beschermt hem wel tegen klappen, één hand houdt hij voor zijn gezicht, met de andere trekt hij de kraag van de jas dicht en zo wordt hij op de avond van de vierde advent om tien over half negen door een taxichauffeur in de berm van de vierbaans ringweg aangetroffen, blootsvoets, met bloederige schrammen op zijn hals en gezicht, zijn zomerjas scheef over z'n schouders.

Het klonk als de branding van de zee, zegt hij verontschuldigend tegen de chauffeur, die geschrokken zijn arm om z'n schouders legt, hem op de passagiersstoel afklopt en een trui om zijn blauw geworden voeten wikkelt, waar kan ik u heenbrengen? Naar mijn zoon, alstublieft, zegt de professor, sluit zijn ogen en hangt zwaar tegen de rugleuning.

Ik wil naar opa, zegt Lili, wanneer alle geschenken uitgepakt zijn, een skippybal, een spaarpot, poppenkleren, omdat hij bang is om te overdrijven heeft Ernst zich gematigd, maar te weinig mag het ook weer niet zijn. Hij maakt zich ook zorgen om de kerstboom die niet te groot mag zijn omdat hij anders aan de feesten van vroeger met de twee meter hoge spar in het trappenhuis zou moeten denken, en niet te klein om voor Lili nog aanvaardbaar te zijn, en om het eten, geen kerstgans, die krijgt ze op kerstavond bij haar moeder en geen aardappelpannenkoekjes uit de diepvries zoals vorig jaar, die ruiken niet lekker, had Lili geklaagd, en vanbinnen zijn ze nog koud.

Ik had weg moeten gaan, denkt Ernst, net als Regina die op eerste kerstdag naar een yogacursus is vertrokken, zonder afscheid van hem te nemen, met een opgerolde mat van schapenvel, hij heeft het vanuit de auto gezien. Hij had haar willen verrassen, haar kerstcadeau lag op de stoel naast hem, een ingelijste vergroting van de kromgegroeide palm in Maleisië. Maar toen kwam ze het huis uit, en hij zag hoe handig en vlot ze haar bagage in de kofferbak pakte, de voorpret op haar gezicht en die nieuwe schoonheid die hem op een afstand hield. Ze stond op het punt om te vertrekken. De foto zou hij naar school meenemen, veel collega's hielden in de afsluitbare bureaus vakantiefoto's verborgen, naast de klassenlijstjes en de markeerstiften, er lagen ook talismannen en kinderfoto's, maar het meest nog ingelijste kiekjes van de liefsten in de vakantie.

We kunnen niet naar opa, zegt Ernst, hij is ziek. Wat scheelt hem dan, vraagt Lili, we brengen hem chocolaatjes en ik kan hem ook wat voorzingen. Zijn hoofd is moe, zegt Ernst, hij kan niet goed meer denken. Dat geeft niets, zegt Lili. Ze hobbelt een keer op de skippybal door de woning, de afzet van haar voeten doet de wijnglazen in de keuken rinkelen. Ik neem de skippybal mee, roept ze vanuit de slaapkamer. Geen denken aan, zucht Ernst en zoekt naar het busboekje.

Waarom heb je geen kerstboom, vraagt Lili aan de professor nog voor ze haar jas uitgetrokken heeft. Hoe heet het ook alweer, zegt de professor, jij weet het wel. Wat, vraagt Lili en kijkt zoekend om zich heen. Lili, waarschuwt Ernst en legt zijn jas over een stoel, we blijven echt niet lang. Zeg het me nou, dringt de professor aan, jij weet het toch. Lili, hij zoekt een woord, ik weet niet welk, het kan van alles zijn. O, ik moet raden, roept Lili en gaat vlak naast de professor staan, Kerstmis, kindje Jezus, lamette, probeert de professor. La. Met. Te. Lamette, Lamette, zingt Lili en staat met één sprong op de bank, weet je wat de kerstman mij gebracht heeft. Een dikke, gele skippybal, die kan zó hoog vliegen. Ze gooit haar armen in de lucht en springt op de kreunende vering heen en weer.

De professor leunt achterover en slaat haar gade. Voorzichtig, Anna, je doet zo wild, zegt hij. Ernst krimpt haast onmerkbaar ineen en schudt zachtjes zijn hoofd. Maar Lili luistert helemaal niet, ze huppelt en zwaait met haar armen, haar haren wapperen en de professor schudt met een glimlach zijn hoofd. Waarom kom je zo weinig, zegt hij. Je weet toch dat ik naar de kleuterschool moet, antwoordt Lili, elke morgen weer, daar zie ik mijn vriendin en dan spelen we samen. Dat weet ik, zegt de professor. Intussen struint Lili door de kamer, wat heb je veel pennen, schrijf je dan zoveel? De professor begint na te denken, ja nou, ik werk aan een, aan een grote, maar Lili praat alweer door, je moet een keertje bij ons komen, bij papa bedoel ik, daar staat een mooie kerstboom. Ik kan ook een keertje sterretjes voor je maken op school, dan kun je die hier ophangen.

Maar Kerstmis is al haast voorbij, zegt Ernst. Volgend jaar dan, roept Lili en vlijt zich tegen de professor aan, dan wordt het toch weer Kerstmis. Natuurlijk Anna, zegt de professor, hij is gewend het met haar eens te zijn, zij weet altijd wat er gedaan moet worden en alles is heel gemakkelijk zolang zij er maar is. Mijn kleine zeewind, zegt hij en haalt zijn vingers door haar haren. Lili moet lachen, ik ben de zeewind, roept ze en draait om haar as, steeds sneller, tot ze duizelig wordt en door de kamer wankelt en Ernst de jassen pakt. Nog niet weggaan, roept ze en de professor zegt het haar na, nog niet weggaan. Nog niet weggaan. Lili is meteen enthousiast en doet mee, terwijl ze met haar voet de maat stampt. Nog niet weggaan, dreunt het de hal in wanneer Ernst de deur opent.

De mensen in de cafetaria draaien zich geamuseerd naar het lawaai om en zien hoe Lili en de professor hand in hand en met rood aangelopen gezicht vol overgave op de vloerbedekking stampen. Nog niet weggaan! Is dat niet mooi voor meneer Sander, zegt mevrouw Sörens tegen Maik, die net het laatste kerstbrood aansnijdt, zo'n bezoekje. Mevrouw Hint schudt haar hoofd, een gekkenhuis is het hier, en haast zich met twee sneden brood terug naar meneer Lukan. Het geschreeuw neemt toe, Lili's stem wordt schriller en ook die van de professor krijgt een dwingende ondertoon. Ernst rukt aan Lili's hand. Wie dat nog kan, draait zich in zijn stoel om. We moeten gaan, roept Ernst, maar Lili klemt zich gillend aan het wollen vest van de professor vast, die lichtjes wankelend in het rond draait, hij heeft al geen stem meer, en met zijn pantoffels op de vloer stampt. Dan haalt Ernst diep adem en brult zo hard als hij kan, anders komen we nooit meer. Op slag wordt het stil. Mevrouw Sörens staat met het keukenmes in haar hand achter de tapkast te wachten. Iemand schraapt zijn keel. Dan zijn alleen nog maar de snelle adem van de professor en Lili's snikken te horen.

Op oudejaarsdag is Ernst bij Lili's moeder uitgenodigd, voor het eerst sinds ze geen gezin meer zijn. In de hoek staat nog de kerstboom, een beetje scheef in de standaard en versierd met de papieren engeltjes die Lili in de klas gemaakt heeft. De mijne is groter denkt Ernst en schaamt zich meteen voor zijn kinderachtige trots. Er is kaasfondue, die bitter smaakt en aan de bodem van de schaal vastzit. Maar het aangebrande stuk smaakt het best, zegt Lili's moeder. Haar stukje brood is in de taaie massa verdwenen. Nu moet je papa een kus geven, jubelt Lili. Haar moeder spitst de lippen en raakt vluchtig de wang van Ernst. Waarom heb je me onlangs niet binnengelaten, zegt Ernst. Lili's moeder zwijgt. En waarom heb je me nu uitgenodigd, is zijn volgende vraag, uitgerekend met oudjaar. Heb je niemand anders. Ik dacht dat we ook wel eens gezellig samen konden zijn, zegt Lili's moeder, en met iets nieuws konden beginnen. Hoe bedoel je dat, vraagt Ernst.

Mama, opa's hoofd is moe, roept Lili erdoorheen, die al de hele tijd opgewonden om Ernst heen danst. Mijn hoofd is ook moe, zegt Ernst en steunt met zijn kin op zijn handen. Niet wat jij denkt, zegt Lili's moeder. Hij houdt van toverspreuken, roept Lili, lamette bijvoorbeeld. La. Met. Te. Wat denk ik dan, zegt Ernst, terwijl Lili lamette van de kerstboom plukt en ermee om de tafel danst. Kun je niet een keer blijven zitten, snauwt Lili's moeder haar toe. Laat haar toch, zegt Ernst, het is vandaag een bijzondere avond. Dat kun je wel zeggen, zegt Lili's moeder, maar ik heb haar iedere avond, begrijp je, ik wil wel eens één enkel keertje gewoon rustig zitten, en ze zwijgt. Zo zitten ze beiden zonder te spreken rond de fondue. Zo nu en dan horen ze buiten een gillende keukenmeid of het geknal van vuurpijlen. Het valt niet mee zonder vader, zegt Lili's moeder. Ik ben er toch, zegt Ernst zachtjes en doet zijn ogen dicht. Als hij weer opkijkt zijn de fonduespullen verdwenen en trommelt Lili op zijn knie. Papa, we gaan in de toekomst kijken. Lili's moeder heeft een schaal met water op de tafel geplaatst en er kleine figuurtjes van lood naast gezet. Er staat ook een kaars bij. Ik wil het zelf doen, zegt Lili. Hoe was het in Maleisië, vraagt Lili's moeder. Ik heb geen zin om daarover te praten, zegt Ernst. Zwijgend houden ze het lood boven de vlam, tot de figuurtjes in elkaar zakken en er een klein, zilverachtig plasje in de lepel glanst. Nu, roept Lili's moeder. Lili is zo voorzichtig dat haar lood in kleine druppels in het water terechtkomt en tot vaste pareltjes stolt, die ze er meteen weer uitvist en op haar lepel heen en weer beweegt. Jouw toekomst is vol kostbaarheden, zegt Lili's moeder, nu ben ik aan de beurt. Ze giet een krul van filigraan met fijne vertakkingen. Een armband, raadt Lili, een kroon. Je bent een koningin! Dan doopt Ernst zijn lepel in de schaal zonder te kijken en haalt een rafelig, veelarmig iets uit het water. Ze buigen zich eroverheen. Een inktvis, zegt Lili. Een parachute. Een spin. Precies, dat is het, een spin. En wat betekent dat voor mijn toekomst, vraagt Ernst.

Regina voelt haar zitbeentjes die in haar wijnrode kussen steken. Iedereen heeft aan het begin van de week een yogakussen gekregen, sommige geel als zonnebloemen, andere wijnrood of groenachtig. Regina had liever een gele gehad, maar met voorkeur wordt geen rekening gehouden, je knikt elkaar toe en loopt op je tenen door de met hout betimmerde vertrekken en bij de oefeningen hoor je de maag van de anderen knorren. Niemand hoeft zich te schamen, heeft Karl, de leraar gezegd, belangrijk is alleen om het ogenblik te ontvangen. Ze zitten in een kring, in het midden daarvan heeft Karl een bloeiende forsythiatak neergezet. De man naast Regina snuift door zijn verstopte neusgaten, rond dit jaargetijde zijn veel mensen verkouden, maar toch proberen ze allemaal om zich niet te schamen. Regina voelt hoe haar handen warm worden, hoe ze in haar dijen wegzinkt en ook een lichte misselijkheid die sinds Kerstmis van haar slokdarm naar haar mondholte stijgt en zich in de loop van de dag over haar hele lichaam uitbreidt.

Eerst dacht ze dat het door de haringsalade kwam, die ze op kerstavond voor mevrouw von Kanter meegebracht had met augurken en stukjes appel, dat had ze haar met Kerstmis toch willen gunnen, maar mevrouw von Kanter had toen ze het deksel van de tupperwaredoos trok, alleen maar haar ogen dichtgeknepen en uit het raam gekeken. Ze had sowieso de hele tijd naar het vogelhuisje gestaard of naar Regina's zwarte kerstblouse. Regina weet wel dat zwart haar niet staat, en ze had veel moeten praten en alles alleen moeten opeten. Sindsdien voelt ze zich niet lekker, ze heeft een akelig vol gevoel in haar keel en haar tong smaakt naar vis. Het is niet erg, maar ze kan het moeilijk kwijtraken, alleen als ze eet wordt het even minder, maar in het yogahuis zijn er slechts drie maaltijden per dag en geen tussendoortjes.

Ze eten gezamenlijk en drinken veel lauw water en praten wat, Karl, de leraar, gaat graag naast Regina zitten en pelt een mandarijntje voor haar af, maar alleen al de geur van fruit doet in haar keel een zurig speeksel omhoogkomen, ze haalt diep adem en is blij dat Karl haast geen vragen stelt, hij kauwt heel langzaam en kijkt naar zijn vingers, waar een witachtig, kleverig laagje op ligt en laat haar met rust. Eén keer had hij in het waslokaal, waar ze allemaal gebruik van maken, aandachtig toegekeken hoe Regina haar borsten waste, ze stond voorovergebogen en steunde haar neerhangende tepels met een hand. Die deden zeer en het klopte daar onder haar huid. Ze had ze voorzichtig met warm water gedept, maar het had niet geholpen. Karl keek toe en ze schaamde zich niet, overwoog zelfs om zich naar hem om te draaien, maar het water liep van haar borsten, die onder de warme washand pijnlijk zwollen, ze had haar handdoek vergeten en toen Karl zijn badhanddoek om haar schouders legde, was ze blij dat ze de stof om zich heen had.

Op oudejaarsavond gaat ze, terwijl de anderen in stilte rond de forsythiatak zitten te bidden, het huis uit en probeert om Ernst te bereiken. Haar opgezwollen borsten stoten tegen de binnenkant van haar jasje, het is een vreemde nieuwe pijn, maar ze moet niet meteen aan het ergste denken, zei Karl, toen ze hem tijdens de ochtendzitting ervan vertelde. Anderen hebben ook pijn, ze zijn scheef en krom, rug, meniscus, daar begint het nu mee, zei iemand, het hangt er maar van af hoe je je grenzen verlegt.

Regina drukt haar mobieltje tegen haar oorschelp omdat boven haar een grote wolk kraaien stijgt en daalt en een luid gekras de lucht vult. Het ruikt naar vorst en verbrand hout. De wolk kraaien hangt boven de dalkom. Na vier pogingen stopt Regina het telefoontje weg, ze loopt langzaam terug, het huis weer in en gaat bij de anderen op haar schapenvel zitten. Ze vouwt haar handen voor haar borst, doet haar ogen dicht en wacht.

In Haus Ulmen wordt na alle kerstdrukte doorgaans weinig aandacht aan oudjaar besteed. Familieleden blijven weg. Een lichte weemoed hangt in de gangen. De onveranderlijken knikken elkaar toe, dat moet je begrijpen, per slot van rekening hebben kinderen recht op een eigen leven, met oudjaar wordt er flink gefeest, wat hebben die dan bij ons oudjes te zoeken. Sommigen willen vroeg naar bed, dat geknal, de hond maakte zich altijd zo klein mogelijk en lag onder de bank te rillen. Wij gaven altijd alles aan goede doelen, we hadden alleen sterretjes, de kinderen dansten daarmee in het donker en trokken cirkels van licht. En kaasfondue. Nee, vlees. Bij ons niet. Daar bleef alles heel rustig. Ik vind dat prima zo. Wij maakten altijd een beetje lawaai met een paar vrienden, Paul ging achter de toetsen zitten, dat mis ik wel, een eigen piano, een goeie Sauter was het, de kinderen hadden allemaal les, tot ze niet meer wilden, dwingen kun je ze maar beter niet.

In de entreehal wordt een nieuwe kalender opgehangen, vlak onder de grote klok om aan te geven dat de tijd verstrijkt en bij het avondeten worden met de beste wensen van de directie kleine flesjes champagne uitgedeeld. Mevrouw von Kanter is op eigen verzoek feestelijk gekleed, waarom in vredesnaam bromt Gabriële, alsof er niets anders te doen valt, zijden kousen, lippenstift, de hele santenkraam. Dat duurt uren, zo meteen wordt ze nog opgehaald voor een bal of zoiets. Mevrouw von Kanter kijkt naar haar champagne en probeert de gouden hangers aan te raken, die haar oorlelletjes doen kloppen, Gabriële heeft de speld door een dunne laag huid moeten drukken omdat de gaatjes dichtgegroeid waren en op een gegeven moment heeft ze haar geduld verloren en kracht gezet, je hebt het immers zelf gewild, madame. Als ze halverwege is, heeft mevrouw von Kanter geen kracht meer en laat ze haar hand weer langzaam zakken.

Er komt een gevoel van troosteloosheid in haar op, dat aan de trotse traditie van tientallen jaren begint te vreten. Regina wil mijn kleren weggeven denkt ze, en ze dwingt zichzelf om haar blik te laten ronddwalen, wie weet hoe het er nu in de Beethovenstraße uitziet, misschien heeft ze alles al verpatst, hoewel ze nooit een goede zakenvrouw was. Om haar heen buigen knikkende, langzaam kauwende gestalten zich over hun bord, ik zie er toch nog altijd beter uit dan zij, die zwarte blouse moet ik me niet laten afpakken. Ze ziet Regina voor zich, zwart staat haar niet, het maakt haar bleek en opgeblazen, dat moet haar toch maar eens gezegd worden, want veel gevoel voor kleuren heeft ze niet, en plotseling verlangt ze ernaar dat haar dochter aan tafel zou zitten, ze wil haar in het gezicht kijken, dat opgefleurde en gladder geworden gezicht, yoga en dat tengere professorszoontje, hoe heet hij ook alweer, allemachtig. Misschien zelfs haar hand pakken. Mevrouw von Kanter houdt haar blik strak op het etiket van de champagne gericht, tot de letters ineensmelten. Maik duwt het wagentje met de kamillethee voorbij en ziet haar strakke gezicht. Hij remt, maakt een halve buiging en zegt zonder een spoortje ironie, mevrouw von Kanter, u ziet er geweldig uit.

Mevrouw Hint en meneer Lukan eten zoals gewoonlijk op de kamer, of het nu oudjaar is of niet, dat is toch gezelliger, nietwaar, zegt mevrouw Hint tegen meneer Lukan, wat moeten wij in die drukte en ze duwt meneer Lukan kleine brokjes brood met kaas tussen de lippen en kijkt toe hoe zijn tong het brood tegen zijn verhemelte drukt en zijn keel afschuwelijke slikgeluiden voortbrengt. Maar het smaakt u prima vandaag. Meneer Lukan spert zijn ogen open, hij proeft kaas en speeksel en laat zich langzaam door de vertrouwde stem van mevrouw Hint meevoeren. Ik laat u hier niet in uw eentje zitten, dat zegt ze 's avonds altijd, maar ook iedere morgen en elke middag, in haar eigen kamer is ze nog zelden en Gabriële heeft de strijd moeten opgeven, laat ze dan maar naast hem verzuren, wanneer ze daar schik in heeft.

Maar mevrouw Hint verzuurt niet en schik heeft ze er ook niet in, het is simpelweg onvermijdelijk geworden om in het slappe, brede gezicht van meneer Lukan te kijken, om achter die trage ogen naar iets te zoeken wat alleen op haar betrekking heeft, en als het donker wordt zijn warme, slappe hand op haar been te leggen, maar daar heeft mevrouw Hint wel een paar slokjes voor nodig. Het eerste doet haar binnenste trillen, het tweede voert haar mee naar meneer Lukans hand en later veroorzaakt het een weldadige vermoeidheid, ze praat gewoon door, zachtjes in zijn oor en legt haar hoofd tegen de neksteun van zijn rolstoel. Als ze zo in slaap valt, ontstaat er een diepe groef in haar voorhoofd. Zo nu en dan komt Maik haar zwijgend nieuwe voorraad brengen, zet een fles sherry naast haar stoel, ze heeft hem niet gevraagd hoe hij haar merk kent, ze praat niet veel meer met Maik en met anderen evenmin, het is niet meer nodig. U wisselt geen woord meer met mij, heeft Maik kortgeleden wat in zijn wiek geschoten tegen haar gezegd, ze had toen al een paar slokjes op en zat met meneer Lukan te schemeren. Ze heeft hem toen maar zo vriendelijk mogelijk toegeknikt, zodat Maik zou merken dat ze niet boos op hem was.

Vandaag heeft hij één of twee flesjes champagne gebracht, ze heeft die van meneer Lukan erbij gepakt en een paar druppeltjes in zijn inneemkopje gegoten, wat tot een enorme hikbui heeft geleid. Meneer Lukan slikt en hikt, steeds weer schieten zijn schouders naar voren en vliegen zijn benen in de lucht en ze lachen maar wat, mevrouw Hint tenminste en ze heft haar glas, op ons nieuwe jaar.

Ook de professor heft zijn glas. Hij is opgestaan, heeft de kruimels van zijn kleren geveegd en tikt nu met een theelepel tegen het champagneglas tot het mompelen en hoesten en schrapen verstomt en alleen de slechthorenden nog onbekommerd in zichzelf blijven praten. Verrast steekt mevrouw Sörens haar hoofd door het doorgeefluik. Maik staat op de achtergrond te wachten. Ter gelegenheid van de jaarwisseling, zegt de professor met vaste, luide stem, ter gelegenheid van de jaarwisseling wil ik een paar woorden spreken. Waarom moet dat, ik wil verder eten, moppert meneer Mutesius van de tweede verdieping, maar een luid gesis brengt hem tot zwijgen.

Het afgelopen jaar werd gekenmerkt door, zegt de professor, door enkele ontwikkelingen, of moet ik zeggen, verstoringen die zich steeds weer rond ons hebben voorgedaan. Hij stokt en denkt over de laatste woorden na, schudt dan wrevelig zijn hoofd en kijkt de zaal in. Ik leef doorgaans heel teruggetrokken, zegt hij, maar ik wil van deze gelegenheid gebruikmaken om u allen te zeggen dat het zonder u niet gelukt was. Aan een van de achterste tafels rinkelt een mes. Zelfs de slechthorenden zwijgen. In de eerste plaats dank ik mijn vrouw Lili, zegt de professor zachtjes, maar ik zie haar op dit ogenblik niet. Ze blijft natuurlijk, zoals we dat van haar gewend zijn, bescheiden op de achtergrond. Zonder haar beteken ik niets. Hij gaat zitten en zet het champagneglas naast de boter. Niemand zegt iets. De stilte hangt voelbaar boven de tafels.

Dan steekt Maik zijn handen in de lucht en begint krachtig te applaudisseren. Een paar van de aanwezigen sluiten zich er aarzelend bij aan, het applaus zwelt aan, iemand roept bravo, een ander gelukkig nieuwjaar, en ten slotte stampen allen die dat nog kunnen met de voeten, tot een bijna stormachtig gejuich uit de eetzaal de entreehal binnenstroomt, in de gangen weerklinkt, de ziekenkamers binnendruppelt, waar de patiënten hun hoofd naar de deur draaien en dan langzamerhand in het gehuil van de vuurpijlen wegsterft.